La liberté

Cantate composée par J. Dessaix
à l'occasion de la fête du statut en 1856
et chantée par Madame Clarisse Miroy

Refrain
Allobroges vaillants, dans vos vertes campagnes,
Accordez-moi toujours asile et sureté,
Car j'aime à respirer l'air pur de vos montagnes,
Je suis la Liberté !

1er couplet
Je te salue, ô terre hospitalière,
Où le malheur trouva protection,
D'un peuple libre, arborant la bannière,
Je viens fêter la Constitution.
Proscrite, hélas ! j'ai dû quitter la France,
Pour m'abriter sous un climat plus doux
Mais au foyer j'ai laissé l'espérance,
En attendant (bis), je m'arrête chez vous !
Allobroges vaillants, etc.

2ème couplet
Au cri d'appel des peuples en alarme,
J'ai répondu par un cri de réveil ;
Sourds à ma voix, ces esclaves sans armes
Restèrent tous dans un profond sommeil.
Relève-toi, ma Pologne héroïque !
Car, pour t'aider, je m'avance à grands pas ;
Secoue enfin ton sommeil léthargique,
Et je veux (bis) tu ne périras pas !
Allobroges vaillants, etc.

3ème couplet
Un mot d'espoir à la belle Italie ;
Courage à vous, Lombards, je reviendrai !
Un mot d'amour au peuple de Hongrie !
Forte avec tous, et je triompherai.
En attendant le jour de délivrance,
Priant les dieux d'apaiser leur courroux,
Pour faire luire un rayon d'espérance,
Bons Savoisiens (bis) je resterai chez vous !
Allobroges vaillants, etc.

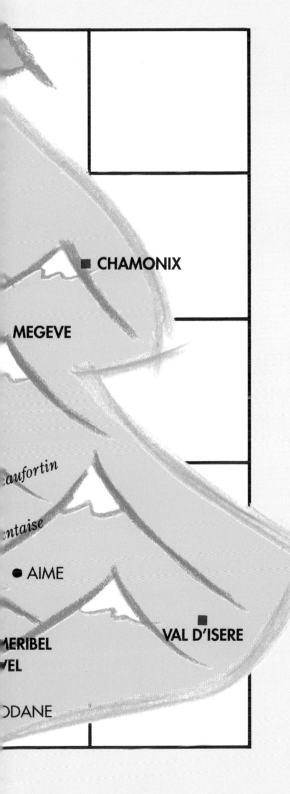

CHAMONIX

MEGEVE

eaufortin

ntaise

AIME

MERIBEL
VEL

VAL D'ISERE

ODANE

SAVOIE

Vins et Gastronomie

EVELYNE LEARD - VIBOUX

PHOTOGRAPHIES ALAIN LECHAT

DIRECTION ARTISTIQUE MARTINE BOUTRON

JEAN-PIERRE TAILLANDIER

L'auteur remercie tous ceux qui,
par leur savoir, expérience,
connaissances et passion de la Savoie
ont participé à l'élaboration de cet ouvrage
et en particulier
Gilles Debernardi et Pierre Androuet.

L'amour du pays natal, ici réduit à un département, pourrait facilement paraître dérisoire, comme le vestige d'un sentiment définitivement anachronique, à l'heure où l'Europe s'impose, au minimum, comme notre horizon commun.

Pourtant, alors que les changements continuels des comportements, des mœurs et des techniques, achèvent de désorienter nos contemporains, l'attachement au terroir s'apparente paradoxalement à un véritable réflexe de survie.

C'est en préservant son originalité que l'entreprise pourra espérer acquérir une réputation mondiale.

L'arbre à qui pousse les plus hautes branches possède à coup sûr les plus profondes racines.

A quelqu'un qui s'étonnait "d'avoir entendu le public japonais rire à gorge déployée aux galéjades de "Marius", Marcel Pagnol répondit : "C'est parce que je leur ai rendu la Provence telle que mon cœur la voit, sans chercher à l'arranger spécialement pour eux !".

On peut donc aimer intensément son coin de terre et rester ouvert au monde. C'est même, à mon avis, une condition indispensable.

Voilà pourquoi ce livre, en dressant passionnément l'inventaire des créations et des sentiments savoyards, fait plus que rendre hommage à la Savoie. Il apporte sa pierre au patrimoine général.

Nul doute que les délégations cosmopolites drainées chez nous par les Jeux Olympiques sauront l'apprécier à sa juste valeur. (Je parle du patrimoine et du livre !)

Au fil du vibrant éloge de sa terre, l'auteur a eu la bonté d'évoquer ce petit couteau rapidement devenu le signe distinctif d'une population. Sans doute Evelyne Léard-Viboux a-t-elle considéré que l'outil constituait, au même titre que les productions, une image significative d'un terroir.

Mais mon grand-père le taillandier, qui mit au point le premier Opinel à la fin du siècle dernier, ne se doutait pas que son invention deviendrait un des emblèmes de la Savoie.

Lui s'était contenté de répondre, avec intelligence, aux besoins concrets des montagnards de son époque. La consécration du dictionnaire est venue plus tard...

Ainsi va la Savoie que nous aimons, fidèle à elle-même, naturellement tournée vers l'avenir, mais sans jamais céder à la tentation d'un quelconque reniement.

Maurice Opinel

A Claude, Odette, Michel, Gilbert, Maurice, Guy, Henri
et à tous les Savoyards qui nous ont fait découvrir
et aimer ce beau pays qu'on appelle Savoie.

l'éditeur

Choisissez un sommet éclatant de blancheur sur fond de ciel bleu, un lac émeraude serti de nobles sapins, un village de pierre et de bois aux balcons fleuris... Voici les somptueuses cartes postales de la Savoie dans tous ses éclats.

Aujourd'hui, vous êtes en Savoie. L'image est conforme à votre attente : été ou hiver, vous ressentez un paysage sculptural, harmonieux et divers.

Ce paysage qui se laisse contempler, parcourir ou dévaler est une œuvre. Une création nourrie de volonté, de peine, d'amour : l'histoire des Savoyards.

Des siècles de ténacité ont imposé la vie dans ces hautes vallées, terre après pierre, eau après glace, fruits après racine.

De l'espoir ensemencé, souvent déçu, toujours réinvesti.

A l'opposé des pays aux riches étendues naturellement verdoyantes, ici, chaque arpent a été conquis.

Aujourd'hui, les mêmes hommes, paysans et montagnards protègent ce patrimoine-paysage. Héritiers d'un bien dont ils connaissent la valeur, ils pratiquent la nature au quotidien. L'environnement, ils le savent d'autant plus fragile qu'il est exceptionnel. Ils entretiennent en altitude et dans les vallées, le grand terrain de jeux et de loisirs que sont les Alpes.

Approchez encore de ce paysage savoyard et vous découvrirez cette autre richesse : une gastronomie étonnante basée sur des produits de qualité inhabituelle.

Les Savoyards ont apprivoisé des espaces nobles mais limités, aussi, ils consacrent plus de temps qu'ailleurs à élever des produits plus rares, mieux élaborés !

Une géographie extrême a ses exigences : les terrains obliques où la terre est maintenue avec difficulté, l'éloignement, les longues périodes hivernales...

En revanche, l'étagement des altitudes permet une grande diversité de produits répartis sur les quatre saisons.

Dans ces difficultés, les Savoyards ont acquis le goût de la qualité. Ils savent qu'elle se mérite. Peu... mais bel et bon !

Ils se sont librement imposé des moyens de contrôle permanent de cette qualité. La plupart de leurs produits sont certifiés par une Appellation d'Origine Contrôlée ou par un Label Régional Savoie.

Fromages, Fruits, Salaisons, et Vins de Savoie... vous invitent au Goût de Cœur !

Chaque instant de plaisir que vous aurez à les voir vivre dans les pages qui suivent ou en les dégustant : rappelez-vous qu'ils s'identifient à ce terroir de Savoie. (Vous n'y résisterez pas !)

Ils sont le témoignage d'un goût pour le meilleur, pour l'accueil vrai, pour le savoir-faire-plaisir qui sont toujours la fierté discrète mais authentique, au cœur de chaque Savoyard.

René Carron

L e malentendu court depuis longtemps, qui tend à faire passer la Savoie pour ce qu'elle n'est pas. - Ni cette terre arriérée de goitreux et de crève-la-faim dépêchant à travers le monde ses petits ramoneurs, comme autant d'ambassadeurs de sa propre misère. - Ni cette contrée fantasmagorique, bordée de gouffres infernaux décrite avec effroi par les voyageurs du siècle dernier. - Ni ce jardin paradisiaque dont le seul souci et l'unique ambition seraient de plaire, par tous les moyens, aux vacanciers argentés. Aussi, le 17 octobre 1986, au siège du CIO à Lausanne, lorsque le président Juan Antonio Samaranch a décacheté la mystérieuse enveloppe en déclarant publiquement "la ville qui organisera les Jeux Olympiques d'hiver est Albertville" tout un peuple s'est levé en même temps que Jean-Claude Killy pour faire éclater sa joie.

La
Vraie Nature de la Savoie

Enfin une occasion de révéler à l'univers la vraie nature de la Savoie. On allait voir ce qu'on allait voir.

Passée la griserie des premiers instants, ces hommes d'arbres et de cognées, spontanément peu enclins à la parlote, sont retournés à leur travail.

"Tout se fera" dit un dicton du coin, "à condition que tu fasses". Ce qui exclut d'office les bavardages inutiles.

Le premier trait de la Savoie, c'est peut-être, en effet, la profondeur de ses silences. Sans doute parce que sa beauté se suffit à elle-même. On l'aime d'abord pour la réalité physique de son territoire. De la tendre Chautagne qui flirte avec le Rhône, à la rude Maurienne et à la souriante Tarentaise, c'est un défilé continu de surprises ou retrouvailles heureuses.

Sur ses montagnes et dans ses vallées, de riches et savants contrastes composent une symphonie de formes et de couleurs qu'on ne peut jamais oublier. Pas un écrivain, pas un artiste de passage

La
Vraie Nature de la Savoie

(et beaucoup sont passés, en partance vers la glorieuse Italie), qui n'ait été frappé par cette sauvage et divine harmonie. Semblable à la femme chère à Verlaine, la Savoie n'est jamais "ni tout à fait la même, ni tout à fait une autre". Ce cadre privilégié est peuplé d'une âme, avec la présence

d'hommes et de femmes qui, tout au long d'un destin millénaire, affirment une identité et un caractère. C'est la Savoie éternelle, immuable, qui résiste à tous les déluges.
Il y a quelques années, un groupe de jeunes musiciens du cru a atteint les sommets du hit-parade en ressuscitant sur le mode rock "Etoile des Neiges", la rengaine de tous les clichés. Il n'est pas interdit d'y voir un symbole. Ainsi va la Savoie, qui veut aborder les défis de l'avenir en se dotant de tous les atouts de la modernité, mais sans pour autant trahir ses racines profondes. Ainsi, les Jeux Olympiques et leurs investissements colossaux ne seront pas un reniement ; seulement une nouvelle étape dans une ascension parfaitement maîtrisée.
Bien campés dans leur terroir, cramponnés à leur mémoire comme l'alpiniste à la corde essentielle, une fois de plus, les Savoyards s'adapteront. Ils feront comme ils ont toujours fait, "à leur manière". C'est-à-dire qu'ils sauront se montrer courageux, imaginatifs - en un mot, modernes - en restant fidèles aux vertus fondamentales léguées par leurs ancêtres.
A cet égard, un récit s'impose comme exemplaire. Celui de la saga de la famille Opinel menant d'un pas tranquille son célèbre petit couteau du village natal d'Albiez-le-Vieux... au musée d'Art Moderne de New-York.

La
Saga des Opinel ou
L'Ame des Couteaux

L'Arvan qui coule en Maurienne est de ces petits ruisseaux qui font les grandes rivières. C'est au bord de ce torrent capricieux, sur la commune d'Albiez-le-Vieux, que vivait au siècle dernier la famille Opinel, sans espoir raisonnable d'entrer un jour dans le dictionnaire. Taillandier comme son père, et l'un des meilleurs de la vallée, Joseph eut, un beau jour de 1890, la riche idée de délaisser un peu pioches, haches et serpettes, pour jouer la fine lame. Ce coup de tête fut aussi le coup d'envoi d'une passionnante saga industrielle et humaine. En l'espace de quelques décennies, perdant sa majuscule, l'opinel allait faire le tour du monde.

Les colporteurs furent les premiers ambassadeurs, sur les chemins escarpés des Alpes, du célèbre couteau pliant. L'austère et rustique instrument, volontairement dépourvu de sophistication technique, était alors dédaigné

par les grandes coutelleries urbaines qui lui préféraient les compliqués ressorts et mécaniques à la mode. Maurice Opinel, l'actuel P.D.G. de l'usine de Cognin qui fabrique 20.000 pièces par jour et emploie 140 personnes, tout comme son père Marcel et son fils Denis, rend un hommage attendri au grand-père fondateur : "le principal mérite de l'invention de Joseph réside dans sa simplicité." Une géniale simplicité soigneusement préservée au fil des générations par la tradition familiale. Cent ans plus tard, c'est toujours le même galbe un

peu grossier du manche en bois où vient se ranger la lame d'acier, la même silhouette familière, authentifiée par la main couronnée, emblème de Saint-Jean de Maurienne. L'objet a traversé le siècle sans prendre une ride, en conservant cette force supérieure que donne l'expérience tranquille des choses de la terre. On le trouve désormais dans les supermarchés du monde entier, ou presque... et dans le rigoureux catalogue du musée d'Art Moderne de New-York. De quoi donner raison à Platon, pas vraiment spécialiste de l'arme blanche, qui affirmait, un tantinet péremptoire : "le beau, c'est l'utile." Car la gamme des treize couteaux fut évidemment conçue à l'origine pour répondre à des besoins concrets de la population. Le numéro un pour curer la pipe, le treize pour découper les quartiers de viande, le huit pour le bricolage ordinaire... Montagnards, agriculteurs et marins en furent

les premiers adeptes pour des raisons strictement usuelles. La consécration esthétique, culturelle, ne viendra que plus tard, au gré de la légende. Car il existe une mythologie de l'opinel qui possèdera prochainement son académie. Devenu définitivement un nom commun, on le retrouve dans les récits de Giono, Sabatier, Frison-Roche, Frédéric Dard, Jean Dutourd, au cinéma, dans les chansons de Renaud. Au Dauphiné Libéré du 3 mai 1959, le guide Pierre Paquet expliquait être sorti indemne de l'avalanche grâce à son opinel. Même déclaration en 1972 du navigateur Alain Colas, la jambe prise dans un filin. Bref, il n'est plus question, et depuis longtemps, d'un produit industriel ordinaire. Une métaphysique de l'opinel est même sans doute à écrire. Maurice, l'héritier en activité de cette longue et noble tradition, n'a pas l'intention de dénaturer l'âme des couteaux de son aïeul. Certes,

la gamme s'est améliorée, diversifiée (notamment pour s'attaquer au marché des U.S.A.), mais la seule véritable fantaisie que se soit permise la maison, a été ce spécimen à manche blanc frappé de la célèbre flamme rouge des Jeux Olympiques de 1992. Car Opinel a beau connaître un rayonnement universel, à chaque occasion, il revendique haut et fort ses origines savoyardes. Malgré les honneurs, la réussite, le formidable prestige des quelques 200 millions de "mains couronnées" fabriquées depuis 1890, l'amnésie n'a jamais gagné les dirigeants d'une entreprise profondément enracinée dans son terroir. C'est que Joseph, le taillandier, et son père, et le père de son père, étaient du pays d'en haut. Là où coulent l'Arvan et quelques nostalgies à jamais étrangères aux hommes des grandes villes. Opinel ne met pas son drapeau dans sa poche. Juste le couteau.

*D*epuis longtemps déjà
le petit ramoneur
donne des cours
de parapente et les anciennes et
mélancoliques
bergères enseignent le surf aux
citadins de partout.
Car la Savoie est farouchement
vivante.
Pas question de devenir une
province-musée, abandonnée,
pour le meilleur et pour le pire,
aux caprices saisonniers des
touristes. Voilà d'ailleurs qui
serait incompatible avec un
passé flamboyant de neuf siècles
de fière indépendance. La
Savoie, exemple unique dans
l'hexagone, fut une nation
avant d'être un département.
Pour saisir la conscience
profonde de cette terre, à nulle
autre pareille,
il faut donc obligatoirement
faire un détour
par son histoire.
"Je te salue, ô terre
hospitalière." Les Savoyards
possèdent avec les Allobroges,
ce chant qui résonne
comme un hymne
patriotique.

SPECIALITES MAISON

...BON SEC DE MONTAGNE FUMÉ ET
...N FUMÉ. SAUCISSON SEC DE CAMPAGNE
...PORC FUMÉ ET NON FUMÉ. SALAMI
...HARMONIER. JÉSUS PUR PORC

C'est bien dans cette valeureuse tribu gauloise que se trouvent les origines à la fois robustes et frondeuses. Ainsi, lorsque l'armée d'Hannibal parvint aux Alpes (sans doute en franchissant le col du Petit Mont-Cenis), l'esprit de résistance des Allobroges se manifesta aussitôt, et le guerrier carthaginois put recruter, entre le Rhône et l'Isère, des alliés sponlunés et courageux contre l'occupant romain.

Notons au passage que la célèbre Fontaine des Eléphants, qui trône à Chambéry, ne constitue en rien une allusion à cet épisode. Il ne s'agit pas, en effet des pachydermes d'Hannibal (contrairement à une idée fort répandue), mais de ceux du comte de Boigne, bienfaiteur de la ville qui fit une brillante carrière militaire aux Indes. Par la suite, les Allobroges se latinisèrent avec une intelligence et une loyauté qui leur valurent une position privilégiée dans l'empire des César. A l'invasion des Sarrasins, cette belle harmonie

épée pendant la terrible guerre de 100 ans.

La faille se produira à la fin du XVIème siècle, lorsque le roi Emmanuel-Philibert dépossèdera Chambéry de son rang de capitale du royaume, au profit de Turin. Les Alpes devenaient une frontière !

Placée de fait dans une sorte d'autarcie, malgré le joug de l'administration piémontaise, la Savoie atteignait l'âge adulte, renforçant son indépendance et sa personnalité originelle. La Savoie se faisait elle-même, mais le sens de l'Histoire la poussait irrémédiablement vers la France, qui l'intégrera officiellement en 1860 (même si certains irréductibles affirment encore aujourd'hui, presque sans rire, que c'est la Savoie qui, alors, annexa la France !).

S'ouvrait alors une ère nouvelle où agriculture, industrie et tourisme allaient offrir tour à tour à ces régions, presque inconnues, de formidables perspectives de développement.

vole en éclats. Les Allobroges se réfugient dans le maquis improvisé qui devait engendrer plus tard le régime féodal. C'est de cette période incertaine que la Savoie émergea véritablement, imposant sa vocation derrière un chef déterminé, Humbert aux blanches mains qui, vers l'an 1000, entreprit, fief après fief, d'esquisser les contours de la belle province.

Ses descendants continuèrent parfaitement son œuvre et, bientôt, la Savoie fut reconnue et respectée dans son rôle d'état souverain, au premier rang des royaumes et principautés d'Europe. Tout comme la France avec quarante rois, la Savoie s'est édifiée avec trente-neuf comtes ou ducs, évidemment de valeur inégale, mais tous profondément attachés à leur patrie.

Les couleurs associées aux noms des plus célèbres sont encore dans toutes les mémoires. Amédée VI (1344-1383), le Comte Vert et Amédée VII (1383-1391), le Comte Rouge. L'un avait choisi les couleurs de l'espérance pour ses armes et blasons, le second celle du sang anglais ayant servi à teindre son

E n tout cas, contrairement à une idée reçue, la Savoie, rattachée à la France en 1860, ne fut jamais italienne, puisque l'Italie date... de 1861.
"Ici on parle français !" avait d'ailleurs constaté Montaigne sur les hauteurs de Lanslebourg, bien avant la création de la station de Val Cenis.
De ses presque mille ans d'Histoire, la fameuse "authenticité" savoyarde se nourrit encore aujourd'hui. Elle court,

elle court, la tradition orale. Partout sur les places des villes et des moindres villages, dans les églises baroques et les lointains refuges se chuchotent toujours les secrets issus d'un glorieux passé que le temps n'a pas eu le pouvoir d'effacer. Les cités, forcément, en gardent l'héritage.
Et d'abord Chambéry dans le dédale de ses ruelles étroites où il fait bon flâner sur les traces des frères de Maistre, de Henry Bordeaux ou de Daniel Rops. Les cœurs littéraires ne

manqueront pas de pousser la ballade jusqu'à la colline toute proche des Charmettes où madame de Warens fit découvrir à Rousseau les charmes de la vie terrestre. Une émotion discrète plane gentiment sur cette ville. Des arcades de la rue de Boigne, de la place Saint-Léger, qui doivent tout au génie de l'architecture italienne, au fier château et à la Sainte-Chapelle où la réplique du Saint-Suaire rappelle la célèbre relique aujourd'hui "récupérée" par

Turin. Là encore, le passé et l'avenir cohabitent harmonieusement. En quelques enjambées, on passe du crépuscule des traboules moyenâgeuses à l'animation lumineuse des voies piétonnes et commerçantes. Et le Carré Curial, caserne napoléonienne transformée en somptueuse galerie marchande jouxte le futuriste Espace Culturel André Malraux conçu par Mario Botta.

A l'Université, au Parc Technologique Technolac, les Savoyards se préparent activement à entrer dans le XXIème siècle. Ils n'ont pas jugé pour autant nécessaire de détruire les porches, les cours, les vieux hôtels particuliers et les antiques fontaines dont le gargouillis murmure les légendes d'ici. Forts de leurs racines et de leur mémoire, ceux-là pourraient clamer, comme les paysans de René Char : "là où nous sommes, il n'y a pas de crainte urgente". Pas de crainte

La
Savoie Eternelle

urgente non plus à Aix-les-Bains, sur les rives de ce lac où Lamartine exigea, jadis, que le temps suspende son vol.

Certes, un peu partout, les façades grandioses et désuètes des vieux palaces incitent à la nostalgie de ces années, pas si lointaines, où la reine Victoria et les têtes couronnées d'Europe donnèrent à la ville un incomparable cachet. Aix-les-bains, pourtant, a tourné la page sans amertume. Et c'est à 50.000 curistes, chaque année, que la plus grande station thermale française fait désormais profiter de sa sérénité naturelle et de son décor grandiose.

Les montagnards savent que pour mener à bien la course, il convient de ne pas se retourner trop souvent. Ainsi, Albertville, capitale des Jeux, a su affronter son nouveau destin, en menant à bien de formidables chantiers, telle la construction d'un stade de 30.000 places... soit presque le double de la population de la ville ! Une frénésie de bâtir qui n'a guère troublé la paix de l'abbaye cistercienne toute proche de Tamié, haut-lieu savoyard de méditation et de contemplation, à l'image de Hautecombe, sur les rives du lac du Bourget, où repose Umberto II, le dernier roi d'Italie.

Albertville possède en outre avec Conflans un inégalable jardin des arts et de la tradition.

Conflans, cité médiévale inspirée, comme un cloître à ciel ouvert : tours altières, ruelles pittoresques, généreuses fontaines aux vasques cerclées de fer, chaires à prêcher, maisons fortes, antiques échoppes, constituent ici un irremplaçable itinéraire romantique à la fois historique, architectural et sentimental.

Albertville changera peut-être de visage une fois passé l'ouragan olympique, mais pas Conflans qui demeurera un de ces lieux privilégiés - Dieu merci, encore nombreux dans le département - où l'on sent toujours battre le cœur du vieux pays. D'ores et déjà, à ceux qu'indisposerait le vacarme des Jeux, d'immenses espaces préservés tendent les bras. A commencer bien sûr par le somptueux Parc de la Vanoise, territoire magique où règnent le chamois, le bouquetin, la marmotte... et nos rêves de paradis perdu. Mais aussi le riant massif des Bauges où demeure vivace, malgré les coups de boutoir de la vie moderne, la civilisation de l'alpage (comme en témoigne un film récent : "la dernière saison", réalisé par Pierre Beccu, un enfant du pays). Sans oublier Yenne et ses environs, au pied de la Dent du Chat qui vit naître Charles Dullin, dans cet avant-pays s'étirant en doux vallonnements et où demeure intact le souvenir des exploits de Mandrin, le contrebandier bien-aimé.

La Maurienne enfin, rude et authentique, qui déroule ses charmes austères jusque vers ces grands cols des Alpes (Mont-Cenis, Iseran, Madeleine, Galibier..) dont la majesté et l'âpreté n'ont cessé d'émerveiller, d'Hannibal aux héros du Tour de France.

*M*algré la diversité de ses attraits et son refus d'être enfermée dans la carte postale traditionnelle, la Savoie tient cependant à mériter son label international de "Mecque du ski". Et aujourd'hui plus que jamais, puisque la route de l'or blanc est définitivement ouverte, et les sinistres bouchons théoriquement relégués aux oubliettes. Grâce au T.G.V. qui conduit jusqu'à Bourg-Saint-Maurice, à l'autoroute Chambéry-Albertville prolongée par la "deux fois deux voies" jusqu'à Moûtiers, les grandes stations sont désormais à portée de spatules. La Savoie perd ainsi son principal handicap par rapport à la puissante concurrence suisse ou autrichienne. Ainsi, Val d'Isère, par exemple, a cessé d'être un bout du monde.

Val d'Isère qui a redoublé d'efforts pour l'échéance 92, bien que la consécration internationale lui ait été donnée depuis longtemps, sous l'avalanche de médailles de ses innombrables champions : Oreiller, Mattis, Killy, les sœurs Goitschel...

Pas question de s'endormir sur ces anciens lauriers. La station, avec le Funival, s'est dotée du funiculaire le plus rapide du monde, véritable métro des neiges qui, en moins de 4 minutes, achemine 3.000 personnes à l'heure sur les hauteurs de la Daille. Toujours sous l'impulsion de Killy, l'incontournable enfant du pays, les Avalins ont tracé dans le massif incroyablement abrupt de Bellevarde, la future descente olympique avec une seule ambition : "en faire une descente mythique".

Et on peut leur faire confiance. Ces gens, depuis toujours, sont doués pour la légende, peut-être à cause de ces géants impassibles qui les observent en permanence : la Galice, le Mont Blanc, la Sana et la Tsanteleina.

Au pied du glacier de la Grande Motte, Tignes, la remuante voisine, se refait également une beauté.

La
Savoie Olympique

C'est ainsi que Tignes, patrie du pionnier Henri Authier, accueille logiquement aux J.O. le ski artistique, dont elle est devenue, en quelques années, une véritable capitale européenne. Plus loin, les trois Vallées, dont les pôles principaux demeurent Courchevel, Méribel et Les Menuires. Méribel la coquette qui déploie les charmes de son habitat traditionnel au cœur des sapins, a renforcé spectaculairement son parc hôtelier pour recevoir dignement les slalomeuses olympiques qui, par la grâce du téléphérique, pourront entreprendre un shopping effréné dans Courchevel la luxueuse où seront (évidemment) hébergés les V.I.P. des olympiades. Courchevel, vitrine internationale de la Savoie avec ses bijoutiers, ses antiquaires, ses 3.000 chambres et suites de grand standing, et ses 65 restaurants dont certains comptent parmi les meilleurs d'Europe. Les initiés savent que depuis la Saulire, on peut aussi s'embarquer pour Cythère (sans passer par l'altiport !). Tout y est luxe, calme, volupté. En balayant l'horizon, à portée de jumelles, on percevra l'architecture si caractéristique des Arcs, mêlant les formes futuristes aux matériaux traditionnels.

A l'avant-garde dans tous les domaines, la station, champ d'essai privilégié pour toutes les nouvelles glisses, reçoit aux J.O. le ski de vitesse en démonstration. Les pentes là-haut sont si naturellement vertigineuses que ce choix se passe de commentaire.

Aux portes du Parc national de la Vanoise, Pralognan a bâti sa patinoire pour le curling. Sous les glaces de Bellecôte, La Plagne ouvre sa piste de bobsleigh. Brides-les-Bains, la station thermale, s'est offert une cure de rajeunissement pour devenir village olympique.

Moûtiers, sacrée "centre de presse", fourbit ses armes pour affronter l'assaut des journalistes du monde entier. La Tarentaise, formidable ruche, bourdonne comme jamais.

*C*onnaître la Savoie en profondeur, c'est également s'initier aux charmes de sa gastronomie basée, elle aussi, sur le naturel et la convivialité. C'est incontestablement autour du lac du Bourget (et autour du lac d'Annecy, son prolongement... haut-savoyard) que l'art du bien-manger est le plus intensément représenté. Cette cuisine gourmande tire en partie son origine, bien sûr, des produits péchés chaque jour dans les eaux à la limpidité retrouvée : carpes et perches, friture, truites, lavarets, ombles-chevaliers, anguilles et même petites lottes. Mais elle procède également de la volonté inflexible d'une pléiade de cuisiniers qui ont une vocation d'installer définitivement la Savoie et la Haute-Savoie au rang gastronomique qu'elle mérite.

Et dans le respect des traditions. A l'affiche de ces établissements, à côté de l'incontournable fondue, on a vu ainsi ressurgir des plats

authentiquement typés, tels la polenta, le gratin (Beaufort obligatoire), les diots, la sopa grassa, la fricassée, les bognettes qui s'accompagnent si joyeusement d'un "canon" de

vin. Sans conteste, sur les sports d'hiver, les vins de Savoie ont le bénéfice de l'antériorité. Les Romains en vantaient les vertus et, plus près de nous, Curnonsky ou Brillat-Savarin

Le
Bien-Vivre Savoyard

jeunesse et qui s'épanouit avec l'âge, se distingue par sa senteur de framboise. Le Gamay, gouleyant, souple, séduisant et le Pinot, charpenté, capiteux, remarquable par sa délicatesse et sa distinction. Piquetés par les viticulteurs du cru, authentifiés par les œnologues les plus éminents, reconnus par une appellation qu'il appartient à chacun de contrôler, voilà un slalom très spécial qui s'offre à celles et ceux qui, pour n'être pas des néophytes de la descente, savent qu'une dégustation bien comprise peut atteindre, elle aussi, des sommets.

Ces quelques pistes ne sauraient révéler complètement un pays millénaire qui sait, comme le Sphinx, cultiver ses mystères. Sa découverte est aussi une affaire de passion. Une initiation qui se rapproche du conseil énigmatique de ce vieux guide : "si tu veux vraiment connaître la montagne, lorsque tu seras arrivé en haut, continue de grimper !".

les ont associés à l'idée qu'ils se faisaient de l'art de vivre. Blancs, ils ont pour noms Jacquère, Apremont, Roussette de Seyssel, Bergeron, Perlant ou Chasselas. Frais, fruité, avec une pointe discrète d'acidité, mais toujours agréable au palais, chacun a son petit mérite.

Tout comme les rouges, la Mondeuse, sauvage dans sa

Gastronomie Savoyarde

La gastronomie savoyarde reflète avec bonheur le paysage et plus encore le terroir, la culture et plus précisément les coutumes.

En Savoie, il fallait autrefois compter, toujours avec la rudesse du climat, l'aplomb des montagnes et la petitesse des propriétés.

Alors, le Savoyard se contente de peu, achète le moins possible, vit de ce qu'il produit : trois vaches et guère plus de chèvres, un jardin, quelques pommiers, un carré de seigle ou de blé, un rucher, un poulailler et, surtout un cochon, voilà toute la richesse des paysans d'hier.

On mange à l'économie, mais on cuisine avec son cœur. Simple et vraie, aimable et rustique, telle est la gastronomie savoyarde, qui accommode avec ingéniosité la farine, les œufs et le beurre, et sait tirer parti de la moindre pièce de porc, ce roi cochon, objet d'un véritable culte.

DIOTS, JAMBONS ET PORMONIERS

Symbole de richesse, la viande composait rarement le menu du paysan savoyard. Une poule ou un lapin de temps en temps le dimanche, et une orgie de "caïon" une fois par an, quand on tuait, à la fin de l'automne, *l'unique cochon de la ferme. La fricassée au sang frais de l'animal à peine égorgé donne lieu à un véritable festin qui présidera à la confection des diots, ces petites saucisses que les vignerons cuisent à même les sarments de vigne, à l'Apremont ou au Gamay. Ici*

La
Gastronomie Savoyarde

LES SALAISONS

jambon à peine fini, pour enrichir la soupe.

Frustres et rustiques, mais sincères et authentiques, telles sont restées les charcuteries de Savoie. Même fabriquées en série, elles demeurent artisanales ; elles ont gardé le caractère des cochonnailles d'autrefois, séchées à l'air alpin. D'ailleurs, un label de qualité les récompensent. Les Salaisonniers modernes n'ont pas oublié leurs pères : choisir un porc, d'âge mûr, ni gras ni maigre, trier avec rigueur les morceaux. Hacher gros à coups lents et réguliers, saler à la main, sécher avec attention et affiner longuement.

Et si le jambon au goût moelleux conserve, fumé ou non, son ancestrale apparence, saucisses et saucissons rivalisent de fantaisies : chapelets de grelots aux noix, saucisses sèches en fer à cheval, saucissons au genièvre, aux herbes, au poivre, fumés, aux noisettes, aux chanterelles, colliers de diots d'âne macérés à la Mondeuse.

les diots, là les pormoniers : ces saucisses de poumon et de lard de cochon, associés au chou vert ne se gardent pas plus de deux mois.

De fait, comme on mange peu de viande, il faut pouvoir la conserver : de là vient cette longue tradition du séchage et du fumage de la viande qui fait encore la réputation des bons saucissons et des savoureux jambons de Savoie.

Car, c'est tout un art de préparer un jambon : étendu pendant un mois sur un lit de sel au fond d'un baquet en bois, frotté à l'ail, au poivre et au genièvre ; puis lavé, épongé et roulé dans du poivre noir écrasé ; suspendu, séché et fumé au bois sec, et enfin enveloppé dans un sac de bure où il peut reposer plusieurs mois avant d'être consommé.

Partant du principe "rien ne se perd, tout se mange", on va même jusqu'à récupérer l'os du

**OMBLE-CHEVALIER,
FERA ET LAVARET**

Quand on parle de poissons, c'est une autre Savoie qui se dessine. Sillonnée de ruisseaux, torrents, lacs et rivières, la Savoie regorge de poissons. La truite représente l'espèce la plus nombreuse. Facile et gaie, la truite de lac se nourrit d'ablettes et se colore d'argent. Le Savoyard l'aime farcie, aux amandes ou meunière.

Le brochet, carnassier, vorace, souvent énorme, s'accommode au beurre blanc et en quenelles. Prédatrice d'œufs, la lotte, très prisée pour son foie, se capture en mars, au moment de sa reproduction. Quant à la perche, zébrée, aux nageoires rosées, on recherche sa chair ferme, mais on l'apprécie surtout après le 15 août, lorsqu'elle dévore ses propres alevins. La petite friture de perchots ablettes et mirandelles

est un des plats traditionnels. Les poissons les plus prestigieux et les plus singuliers sont les trois saumons d'eau douce : l'omble-chevalier, la féra et le lavaret. Rares hier, ils peuplent à nouveau les eaux claires des lacs d'Annecy et du Bourget. Poisson mystérieux, vert tacheté de brun, l'omble-chevalier vit à 80 mètres de fond et peut atteindre 7 kilos. En période nuptiale, il se pare de couleurs chatoyantes. Sa chair est si délicate qu'elle doit se déguster meunière.

Féra à Annecy, lavaret au Bourget, à quelques dents près, ce sont les mêmes. Le lavaret argenté, presque transparent, vit en pleine eau et se déplace au gré des courants. Nourri de plancton animal, il vient se reproduire tout au bord, près des plages. Sensible, fragile, le lavaret doit se consommer aussitôt péché, de préférence au printemps.

Patience de pêcheurs, plaisir des papilles, le poisson fraie, frétille et foisonne dans les eaux vives et profondes de Savoie.

DU MAIS AU SARRASIN, POLENTA ET CROZETS TAILLERINS ET FIDES

La polenta n'est pas à proprement parler un plat savoyard. Venue d'Italie, cette semoule de maïs plus ou moins fine, rappelle que la Maison de Savoie comprenait en son sein la province du Piémont. Au même titre que les patois et les dialectes, la musique et le folklore, la polenta constitue un langage commun au Mauriennais, aux Piémontais, aux Tarins et aux Valdotains. La préparation diffère, mais c'est en fait la même polenta que l'on tourne, brasse et soulève ; ce sont les mêmes mots que l'on emploie. Les mêmes pâtes aussi, si l'on en juge à l'aspect des "taillerins", sorte de tagliatelle confectionnées à partir d'œufs, de farine d'épeautre, de blé ou de maïs, parfois enrichies de noix, de châtaignes ou de champignons au gré des cueillettes et des récoltes. Consommés dès le XVIème siècle, les crozets sont

aussi des pâtes singulières et très originales, authentiquement savoyardes. Provenant du patois "croé" qui qualifie tout ce qui est petit et chétif, les crozets sont en effet de toutes petites pâtes grisâtres, coupées en carrés. Autrefois, les ménagères des hautes vallées de Tarentaise utilisaient des œufs et de la farine de blé mais surtout de sarrasin et façonnaient la pâte avec un couteau hâchoir spécial. L'on fait également aujourd'hui des crozets à partir de farine blanche de blé tendre. Car les pâtes ont suivi la même évolution que le pain. Le seigle, comme le sarrasin, n'étaient pas considérés comme des

céréales nobles, mais reflétaient plutôt la rusticité des manières. Au pain de seigle brun, presque noir, les gens de la campagne préféraient le pain bis, de seigle et de blé, symbole de vie moins rude. Ils finirent par adopter le pain blanc acheté à la ville et par délaisser les fours de leur village. Juste retour à l'authenticité, l'on assiste depuis peu au phénomène inverse : soucieux de sauvegarder les traditions, quelques nostalgiques font à nouveau leur pain au four du village et les fabricants de pâtes savoyards ont à cœur de fournir les taillerins aux châtaignes, les fidés à l'épeautre et les crozets au sarrasin.

LES FROMAGES DE SAVOIE

Parmi tous les fromages, ceux de Savoie tiennent une place d'honneur. Les espaces infinis des prairies d'alpage que plusieurs races de vaches partagent ainsi que quelques chèvres brunes chamoisées permettent une abondante récolte de lait. On estime à plus de 400 000 le nombre de têtes de vaches d'Abondance de tarines ou de pies rouges sans omettre les brunes de Schwyz qui ont fait leur apparition il y a quelques décennies.

La tradition est de faire monter les bêtes à "l'estive" lente ascension du troupeau en fin de printemps, puis long retour au bercail, voici la rituelle transhumance réglée par la fonte des neiges : du début juin à la mi-septembre, le troupeau va se gorger de fleurs de la prairie et d'herbes nouvelles, rases et drues. Le lait abonde. Beaufort de haute montagne, Tomme de montagne, Emmental des vallées, à chaque étage son fromage.

Autrefois, la vie en montagne était très cloisonnée du fait des intempéries. Chaque vallée, presque chaque chalet avait son fromage qui différait de celui du voisin. C'est la raison pour laquelle la liste en était longue il y a encore 25 ans. Les fromages de ce temps n'étaient pas toujours disponibles, ils étaient saisonniers.

Les fromages de Savoie peuvent être divisés en six familles hors desquelles on peut trouver de nombreuses spécialités :

• *le Beaufort, type de fromage à pâte dure, pâte pressée cuite,*

• *les chevrotins, sorte de tommes au lait de chèvre,*

• *les persillés, variétés de bleus rustiques aux laits divers,*

• *les tommes,*

• *les vacherins,*

• *le reblochon,*

enfin les fromages de marque et l'emmental de Savoie.

La
Gastronomie Savoyarde
LES FROMAGES

L'Abondance
A.O.C. du 30 mars 1990

On présente le fromage d'Abondance comme une "tomme". C'est plutôt un petit gruyère dont le lait de composition n'a pas été trop réchauffé comme ceux des fromages des "mayens" des vallées valaisannes qui sont le plus communément consacrés à l'emploi en "raclettes".

Les vallées de la région y compris celle de la Dranse d'Abondance, sont orientées comme celles qui affluent au cours du Rhône. Les techniques de fabrication sont les mêmes et les caractères physiques, les mêmes également, soit large de 35 à 45 cm , haut de 8 à 10 cm pour un poids de 8 à 15 kg. Le cru du lait de cette région est très recherché, les fromages sont d'une qualité supérieure. L'affinage de ces fromages doit durer trois mois minimum pour permettre le développement de ses arômes.

Il sert de base à de nombreuses recettes régionales, croûtes, fondues et raclettes, etc...

Le Beaufort
A.O.C. du 29 décembre 1986

Le Beaufort est une variété de gruyère de grande montagne produite dans les alpages du Beaufortin, de Tarentaise et Maurienne, à une altitude presque partout supérieure à 2 000 mètres.

C'est un fromage à pâte dure ou pressée et cuite, titrant au minimum 50% M. G., à croûte naturelle morgée et brossée, large de 40 à 60 cm, épais de 12 à 16 cm et de 30 à 60 kg. La durée minimale d'affinage dans des caves fraîches et humides est de quatre mois réglementairement, mais ce n'est qu'au bout de 8 à 10 mois que les arômes se développent avec le maximum d'intensité. Les fromages d'estive sont les plus gros car le troupeau à cette époque est commun à plusieurs propriétaires.

Il faut 450 à 500 litres de lait pour faire un fromage moyen. La production par vache ne dépasse pas 12 litres par jour. Ce fromage est mûri dans des caves très froides, en altitude.

La pâte est compacte, lisse, sans trou, mais ils sont parfois marqués de fentes obliques ou horizontales, les becs ou les lénures. Cela n'est pas un mauvais signe, au contraire, ce sont les pâtes les plus grasses. La race des vaches de cette région est la Tarine. Petite, agile, elle grimpe comme une chèvre jusqu'aux arêtes terminales à plus de 2 500 mètres, là où la flore se raréfie et disparaît.

Sans risquer d'être chauvin on peut affirmer que le Beaufort est le meilleur de tous les fromages "à la grande forme" du type gruyère. De par ses qualités on l'emploie pour confectionner des salades mixtes à cru, des gratins de pâtes ou de pommes de terre, des fondues, des croûtes, des tartes salées, des soufflés, des pâtisseries sèches, etc.

Suivant l'intensité de ses arômes, on peut le déguster avec des vins blancs ou rouges de la vallée de l'Isère, de la Chautagne ou des rives du lac du Bourget comme le Marestel.

La
Gastronomie Savoyarde
LES FROMAGES

Le Beaumont

Le Beaumont est un fromage à pâte pressée non cuite, au lait de vache cru, de fabrication industrielle à Saint-Julien en Genevois.

Les laits de composition sont récoltés dans les régions montagneuses s'étendant de Samoens et de Lullin au plateau de Chilly en passant par les Bonnes sur les contreforts du Salève où se trouve le village de Beaumont, berceau de ce fromage qui vît le jour en 1881. Epais de 5 cm, large de 20 cm et pesant 1,5 kg, il s'apparente à une tomme de grande finesse qui atteint la consistance des reblochons de fruitière.

Sa saveur douce et lactique le fait estimer des consommateurs de fromages doux et légers.

Les bleus

En Savoie, les fromages bleus sont désignés sous le nom de "persillés". Il en existe en certains points de la province. Ces fromages sont d'une grande rusticité et n'étaient guère commercialisés avant la

dernière guerre. Il en existe quatre principaux :
• *le persillé de Thônes dit aussi des Aravis ou du Grand Bornand,*
• *le persillé ou bleu de Tignes, appelé encore le Tignard,*
• *le persillé ou bleu de Ste Foy,*
• *le persillé ou bleu de Termignon ou du Mont-Cenis.*
La fabrication de ces fromages est à base de lait de vache ou de vache et de chèvre mélangés. La pâte est formée d'un caillé égoutté et émietté dans lequel on introduit des moisissures la plupart du temps naturelles obtenues sur du pain comme à l'origine des temps. Seules leurs formes diffèrent.

De saveur assez robuste mais sans amertume, ces persillés à la consistance assez irrégulière mais non granuleuse sont d'une très grande rusticité et se marient fort bien avec les vins charpentés de Chautagne ou des pays d'Allobrogie.

La chevrette des Bauges

On ne trouve plus guère de chevrette qu'au Chatelard. C'est

une tomme au lait de chèvre entier à pâte pressée non cuite, titrant en moyenne 45% M.G. Elle se présente sous la forme d'un disque plat de 18 cm de diamètre et de 4 à 5 cm d'épaisseur pour un poids de 1,2 kg à 1,5 kg environ.

Si on la consomme dans le délai de 2 à 3 mois, la saveur est douce, faiblement caprine, la consistance tendre et la pâte fondant sous la langue.

Son principal défaut est l'odeur d'étable assez prononcée qu'elle exhale en sortant de la cave. Comme la plupart des petits fromages régionaux, cette chevrette est consommée surtout l'hiver à la maison.

La chevrine de Lenta

Il faut monter à Bonneval sur Arc pour se hisser sur le pâturage de Lenta où les Bonnevallains montent leurs troupeaux en estive. Ce nom de "Cevrin" est d'origine pâtoise valdotaine car longtemps, seuls les Valdotains venaient à travers les cîmes pour transhumer leurs troupeaux.

Ce fromage est inconnu car il n'a jamais été commercialisé. Il est consommé par les alpagers. C'est un cylindre de couleur claire, dur et sec, large de 10 cm et haut de 8 cm. Suivant l'âge, il peut être noisetté ou piquant et même très piquant. C'est une curiosité à déguster sur place.

Le chevrotin

Ce nom de fromage peut être pris comme générique de plusieurs autres appellations. On trouve des chevrotins dans un certain nombre de régions comme les persillés.

Le chevrotin des Aravis ou de Thônes est un genre de tomme à pâte pressée non cuite, à base de lait de chèvre, moulé comme un reblochon et lui ressemble dès qu'il est sorti du moule. Il faut savoir que la couleur légèrement cireuse de la pâte est due au fait que les chèvres n'assimilent pas le carotène et donnent une matière caséeuse d'une blancheur immaculée, qui devient grise en vieillissant. La saveur en est douce et

délicate avec une légère odeur caprine très agréable. Large de 13 cm, épais de 4 cm et d'un poids de 500 g environ. Comme pour tous les fromages de chèvre la meilleure saison est la fin de l'été. L' affinage dure environ 2 mois en cave fraîche et humide avec de légères humectations.

Les gratarons ou gratairons

C'est une pâte pressée non cuite au lait de chèvre ou de vache. Il en est fabriqué dans plusieurs vallées : dans celle du Doron de Beaufort, c'est le grataron d'Arèches ; en Maurienne, le gratairon de Montrond, tous deux au lait de chèvre. Enfin le gratairon de Sixt en Faucigny qui est au lait de vache.

Le format est généralement plus petit que celui des autres tommes. C'est un petit cylindre, large de 8 cm et épais de 5 cm. La croûte lisse est d'un gris brunâtre, la consistance est ferme avec un peu d'élasticité, la saveur est noisetée et varie de l'acide au piquant suivant la

durée de l'affinage. Il est produit durant la saison froide lorsque les animaux sont à l'étable.

Les fromages de petit lait ou de babeurre

La fabrication des pâtes pressées cuites entraîne le réchauffage du caillé pour plastifier les grains qui formeront le fromage final. Ce petit lait réchauffé à température de l'ébullition rend encore des produits résiduaires à partir desquels on fait d'autres fromages. C'est la recuite ou sérat qui ne titre presque pas de matière grasse. En Savoie, il est connu sous le nom de "brise-goût" ou "brisago" en dialecte, s'emploie beaucoup en cuisine et est utilisé pour la confection des pots de fromage fort, appelés le "brisago". On le consomme jeune et doux, ou on le laisse fermenter durant de longs mois pour obtenir un fromage à odeurs et saveur très fortes et est réservé pour la consommation hivernale de la famille.

La Léta des Arves

Ce laitage est obtenu en faisant réchauffer le babeurre ou lait de beurre, résidu du barattage de la crème. On le tire dans les Arves près de Sallanches. Voici la recette : après avoir fait le beurre, recueillir le babeurre dans un récipient, le faire chauffer puis ajouter de l'aizy, ferment lactique naturel ou du petit lait dans lequel on a fait macérer des poireaux ou de l'oseille sauvage. Ajouter quelques verres de lait écrémé. Chauffer, puis écumer la pellicule qui se forme en surface. Recueillir cette crème et la verser dans des assiettes contenant des tranches de pain coupées. Saler ou sucrer à volonté. A Magland, on sale.

Le gaburon de Laissaud

Quand on a baratté le beurre il reste du babeurre ou "relait" que l'on fait chauffer jusqu'à ce qu'il se forme une couche de flocons de recuite à la surface. On l'égoutte puis on le pétrit avec du poivre et on le met à sécher sur les claies à tommes.

On le mélange plusieurs jours avec de la tomme fraîche, de la crème et du sel jusqu'à ce que la surface jaunisse et graisse un peu. On le déguste alors avec des châtaignes.

Le requimé des Villards

Pour le faire, prendre de la crème de 3 à 4 jours légèrement aigrie. La mélanger avec le babeurre résultant de la dernière barattée. Chauffer à feu doux en laissant bouillonner jusqu'à ce que le requimé se forme. Le récolter à l'écumoire et le mouler dans une forme pour égoutter. Saler. Servir avec des tranches de pain de seigle. Cette recette est la même que celle des tranchons de Pralognan. Le premier est de Maurienne le second de la Vanoise.

La recuite ou serac

Ce terme générique désigne un grand nombre de spécialités originaires des pays de montagne où l'on fabrique des fromages à pâte pressée cuite ou dure. Le nom commun plus souvent usité en Savoie est le "serac" car il est blanc comme le chaos des glaces des sommets. On l'appelle aussi selon les patois : le "serré", le "serrat" que l'on écrit parfois "céret" ou "cérat". C'est le même produit que la "ricotta" des Italiens. On l'emploie couramment dans la cuisine des pays de montagne. Il s'allie parfaitement avec des recettes rustiques à base de pommes de terre, de pâtes et de polenta. L'éthymologie latine "recocta" laisse à penser que nos "rigottes" étaient autrefois des fromages de "recuite".

La tracle ou traque

D'après Félix Benoit, l'un des hommes les plus compétents en matière de fromages forts. Le tracle ou le traque provient du petit Bugey entre Bugey et Savoie. C'est une recette à base de fromage bleu de chèvre ou de vache ou des deux mélangés que l'on laisse fermenter en pots avec du sel, du poivre, et du vin blanc de pays. Comme la pétafine sa voisine, il faut attendre que le bouquet en soit "renversant" à l'ouverture du pot pour le juger mûr à point. Là, c'est "une bonne rasade de vieux marc du Bugey qu'il faut pour l'aider à faire son chemin entre les papilles gustatives" soutient Félix Benoit.

Le reblochon de Savoie A.O.C. du 29 décembre 1986

Ce fromage est l'un des fleurons de la Savoie, mais il a une bien discrète origine. Au moyen âge la monnaie était très rare et les paysans n'en possédaient pas souvent. Les propriétaires de terre recevaient leur "droit d'ociège" comme encore actuellement, en nature. Pour évaluer ce droit il fallait connaître le produit que les "fruitiers" tiraient de leur exploitation. Pour cela, le propriétaire, venait un jour au pâturage et faisait traire toutes les vaches. Le lait obtenu était mesuré et le calcul en beurre et en fromage en était déduit. Afin de payer le moins possible, le fermier trayait incomplètement les vaches de façon à minorer la quantité de base. L'homme parti, il procédait à une seconde traite appelée "rablasse" ou "rablache" qui signifie "maraude". Le lait rablassé étant trop peu abondant pour en faire une meule ; on fabriquera des fromages qui prirent le nom de la fraude qui leur avait donnée naissance. Les moines chartreux du Reposoir, au courant du fait, appelèrent donc le fromage ainsi obtenu le "reblesson".

De nos jours le reblochon est encore l'un des fromages les plus fins de France. Il est toujours au lait entier de vache non pasteurisé, à pâte molle, très légèrement pressé à la main pour accélérer l'évacuation de sérum.

La forme d'un disque plat, large de 13 cm et haut de 2,5 cm favorise un affinage rapide de 4 à 5 semaines avec des lavages de sérum légèrement salé à la surface. A maturité, la peau est blanc rosé légèrement pruinée. La pâte est souple et onctueuse, la saveur légèrement lactique, délicate, sans acidité.

Il est généralement présenté sur un mince disque de bois et enveloppé de papier à la marque de l'affineur s'il s'agit d'un vrai fromage d'alpage. Les meilleurs fromages sont ceux d'estive, lorsque les vaches sont à l'alpage et que la nature offre tout l'assortiment des graminés et des plantes légumineuses en fleurs pour leur subsistance.

La mode récente veut qu'on l'ajoute à la fondue savoyarde pour l'améliorer ou que l'on s'en serve pour composer des amuse-bouche sur des toasts. Tous les vins blancs et rouges de Savoie conviennent au reblochon, il leur faut de l'élégance, pas trop de nerf, une agréable gouleyance et des fragrances végétales et florales.

Le tamié

Au nord d'Albertville, sur la route qui conduit à Annecy par Faverges, l'abbaye cistercienne de Tamié, fabrique toujours ces fromages de façon artisanale.

C'est un des vingt fromages monastériens de France. Il est surtout utilisé localement pour la confection des croûtes au fromage. Comme tous ceux de son espèce, le tamié est un fromage à pâte pressée non cuite, au lait de vache peu écrémé et non pasteurisé, légèrement thermisé en certains cas, titrant 45 % M.G.

C'est un fromage à croûte lavée, à pâte molle ressemblant à celle des reblochons des fruitières toutes proches en forme de disque, large de 18 cm, épais de 4 à 5 cm pour un poids moyen de 1,2 à 1,4 kg. Sa saveur est très douce, parfois légèrement empreinte d'acidité lactique lorsque la maturité n'est pas encore terminée.

On le sert avec les vins de la région, blancs de Jacquère ou rouges de Mondeuse.

Il ne faut pas le négliger dans l'assortiment des fromages de Savoie.

La tomme de Savoie ou tome

La tome ou tomme est le fromage le plus populaire de la

Savoie. A l'origine, elle était surtout fabriquée en hiver comme un sous-produit du lait dont on avait utilisé la plus grande partie de la crème pour la confection du beurre de la ferme. Elle titrait alors 20 à 30 % M.G.. C'était un aliment de base domestique dont on se servait beaucoup pour agrémenter les soupes, les pâtes et la polenta, aliment alors essentiel des populations montagnardes durant l'hiver en dehors des casse-croûtes et du service en fin de repas.

Fabriquée avec du lait beaucoup moins écrémé, la tomme est devenue un fromage différent, en effet elle contient en moyenne de 40 à 45 % M.G. tout en ayant conservé son aspect de cylindre, large de 20 cm et haut de 6 à 12 cm pour un poids de 2 à 3,5 kg, à la croûte grise, rugueuse que l'on doit brosser durant son vieillissement de deux à trois mois dans une cave humide et fraîche.

La tomme était le fromage souvent réservé à la maisonnée.

C'est la raison pour laquelle il s'en faisait partout. Chaque village, chaque vallée, chaque chalet d'alpage, avait sa tomme de telle sorte que l'on pouvait en dénombrer une quantité considérable.

Chacune avait ses caractères propres de saveur, de consistance, de bouquet, suivant l'alimentation du bétail, les procédés d'affinage et parfois d'aromatisation.

Celle qui constituait en quelque sorte le type de la variété était celle de la vallée du Doron de Belleville, la meilleure des meilleures étant celle de Saint-Martin de Belleville en Haute-Tarentaise. Celle des Bauges venait ensuite puis celle du Revard. Une tomme portait le nom de Boudane. Il paraît que c'est le terme utilisé pour désigner les fromages destinés à la consommation de ménage et qui, de ce fait était un peu plus épaisse que les autres.

Tomme au fenouil

En certains points favorisés par le climat, là où croît

naturellement le fenouil, les alpagers en ajoutent des graines dans leur caillé comme les Alsaciens le font pour le munster avec le cumin. L'apparence de la pièce est semblable à celle des autres, seule la saveur en est aromatisée.

Tomme au marc

Partout où le vignoble croît dans la vallée de l'Isère et au bas des massifs de montagne, les tommes sont mises à vieillir, empilées dans des futailles sous des couches de marc de raisin ayant fermenté avant la vinification ou avant la distillation. Ce contact apporte un complément de fermentation alcoolique qui communique aux fromages une saveur puissante et très recherchée par les amateurs. La consistance de ces fromages, suivant le degré de fermentation auxquels ils sont parvenus, est variable. Ils peuvent avoir presque entièrement "fondu" mais ceux-là ne quittent pas la maison où ils ont été préparés. Suivant les goûts, ils embaument ou

empuantissent et ce sont de redoutables éperons à boire pour super-initiés.

Le vacherin des Aillons ou des Bauges

C'est surtout dans le Jura où l'on fait le plus de vacherins. Ceux de cette partie de la Savoie sont plus rares, ils ont une existence plus éphémère au cours de la période de leur production. En revanche, ils sont encore plus fins, la pâte mûre et liquide est comme travaillée par une fermentation interne avec de très petites bulles due à une grande humidité de sérum. La saveur produite par le cerclage d'écorce de résineux est fortement balsamique. Ce fromage délicieux ne dure pas plus de trois mois dans l'année, d'octobre à décembre ou janvier, l'affinage de quatre semaines en reporte l'existence jusqu'à février au plus tard. Ces fromages n'ont pas une dimension bien établie. On confectionne les boîtes à la demande. Ils peuvent aller de 3 à 5 cm d'épaisseur et de 15 à 30 cm de largeur. Tous les vins blancs fruités de Savoie conviennent à sa dégustation. Une Mondeuse d'Arbin ne messied pas non plus.

Les fromages non spécifiquement savoyards

La quantité de lait consacrée à la production de fromages d'origine non savoyardes est considérable, elle n'est pas nouvelle. Depuis un siècle on y fabrique les meilleures imitations françaises du fromage d'emmental. Il est arrivé du plateau bernois avec les Suisses qui émigrèrent au XIXème siècle et reproduisirent très fidèlement la fabrication. Les emmental de Savoie sont ceux qui sont les plus cotés en France, après les Suisses. On procède également à la fabrication de fromages imités de ceux des "mayens" du Valais pour la confection des "raclettes" et de ceux d'autres pays voisins. Les marques qui y ont implanté la fabrication de leurs spécialités sont également nombreuses. En les citant, nous sortirions de l'objet de notre description des produits exclusivement originaires de Savoie.

A l'origine, le Beaufort et le Reblochon étaient fabriqués à partir du lait issu d'un seul troupeau : à la ferme, pour le Reblochon, et en alpage pour le Beaufort à partir d'animaux regroupés en un seul troupeau . L'insertion de l'agriculture dans l'économie de marché, les différentes crises laitières ont modifié ces pratiques pour constituer les filières actuelles .

En Beaufort :

Grâce au concours des scientifiques - INRA (Institut National de la Recherche Agronomique), écoles de laiterie, les qualités intrinsèques du lait ont pu être préservées pour travailler en lait de mélange collecté.

Les coopératives d'affinage ont cédé la place à des coopératives de collecte, transformation, affinage et commercialisation . Détenant plus de 80% du Beaufort, elles ont été le pivot du développement du produit, ont mis en place un Service Technique pour améliorer le contrôle de la qualité, et ont créé le Syndicat de Défense de l'Appellation, qui veille au respect des "usages locaux, loyaux et constants" et à la rigueur, à tous les stades d'élaboration du produit.

Le Beaufort est une véritable filière organisée, cohérente et autonome évoluant vers l'authentification du produit.

En Reblochon :

Les producteurs fermiers avaient des relations avec des affineurs-expéditeurs qui assuraient la mise en marché du Reblochon. Ce type de partenariat constitue toujours le noyau dur de la filière Reblochon, même si le Reblochon fermier ne représente plus que 30% de l'ensemble. La détermination de la zone d'Appellation d'Origine a permis le développement du Reblochon type fruitière également intégré à un circuit d'affineurs, tandis que récemment, la concentration d'entreprises permet la pénétration de pratiques de type semi-industriel.

Ces différentes catégories d'opérateurs cohabitent dans le SIR (Syndicat Interprofessionnel du Reblochon), qui conduit une politique : d'amélioration de la qualité (ser. technique), de mise en conformité des ateliers (respect des normes en matière d'hygiène), de contrôle organoleptique et sanitaire du produit (protection du consommateur).

Le Beaufort et le Reblochon mènent ensemble des actions de promotion et entretiennent des rapports privilégiés avec leurs ambassadeurs naturels que sont les crémiers-fromagers traditionnels.

POMMES ET POIRES DE SAVOIE :
DES FRUITS DE CARACTERE

Pays de montagne et d'alpage, de vignoble et de vergers, la Savoie offre, à tous les étages, une végétation propre à satisfaire les besoins vivriers de l'homme. Poires et pommes surtout mais aussi, cerises, fraises et pêches, le fruit a toujours abondé et fait encore l'objet d'une culture soignée, délicate. La Motte-Servolex, Coise et Albertville : trois des meilleurs terroirs à fruits. Une nature exceptionnelle et des conditions climatiques particulières, tout concourt à donner du caractère aux fruits de Savoie. Plantés en coteau plus qu'en plaine, sur des terres pas trop humides mais pas trop sèches ni calcaires, pommiers et poiriers, noueux et vivaces font fi des rigueurs de l'hiver.

De toutes les saisons, voici les poires de Savoie, la Williams pour l'été, la Conférence à l'automne et la Passe-Crassane pour l'hiver. Allongée et charnue, la poire Crassane, à la peau jaune brun, épaisse et finement tachetée, fond dans la bouche. Juteuse, légèrement acidulée, savoureuse.

La qualité se mérite...

Regroupés au sein
de la Fédération Départementale
des Producteurs de Fruits,
les Arboriculteurs savoyards maîtrisent
la qualité de leur production par :
• le contrôle des rendements,
• la mise au point des techniques
de production raisonnée
- taille, fertilisation, lutte intégrée,
• la recherche optimum des dates et récoltes

F.D.P.F. SAVOIE

Pour tous les goûts et de toutes les couleurs, voici les pommes Idared, rouges, croquantes et sucrées, voilà les pommes Melrose rouges, fines et juteuses.

Mais les deux reines, ce sont la Golden et la Canada. La Motte-Servolex et le Tremblay sont les deux coins favoris de la pomme Golden. Jaune et quelquefois rosée, elle a la chair ferme et croquante, fraîche et douce, jamais fade. Quant à la pomme Reinette blanche du Canada, c'est le coteau d'Albertville qui exalte avec le plus de bonheur ses vertus. Fruit délicat et même fragile, elle aime le climat de montagne, mais ne supporte aucun excès : sensible au froid, elle doit être manipulée avec précaution, presque cajolée. De forme aplatie, de couleur vert-jaune et d'aspect mat, la Canada donne une chair souple, acidulée, succulente.

Savamment remodelés, taillés, entretenus, les vergers rajeunissent. Les poiriers ressemblent même à des sapins. Beaux, appétissants, exquis et naturels, les fruits de Savoie, gorgés d'air pur, mûrissent doucement au soleil des Alpes.

La
Gastronomie Savoyarde
LE MIEL

DES FRUITS AU MIEL, L'ABEILLE, UNE DES RICHESSES DE LA SAVOIE

Un rucher dans un verger et les fruits sont plus gros, plus mûrs et plus savoureux. L'abeille, insecte sacré, presque domestique, hautement considéré, butine les fleurs, essaime le pollen, féconde les arbres et distille le miel. Mais en Savoie, c'est une abeille, pas comme les autres, qui produit un miel non moins particulier. Il s'agit de l'abeille noire, une

petite abeille douce et féconde, prudente et prévoyante, qui résiste aux assauts de l'hiver et amasse de l'or en été. De plaine, de ville ou de montagne, le miel des Alpes se gorge du parfum des mille fleurs butinées dans les prairies et les sous-bois, sur les haies et les arbres qui longent les routes ou les berges des ruisseaux. Entre Montmélian et Saint-Pierre d'Albigny, sainfoin, trèfle, luzerne et colza fournissent un miel de plaine foncé succulent. Dans les régions

plus élevées, les Entremonts et les Bauges, la Maurienne et la Tarentaise, le Beaufortin et le Val d'Arly, le miel s'enrichit de l'air pur des montagnes. L'acacia et le sapin, mais aussi l'orme, le saule marsault et l'érable donnent un miel clair avec des reflets jaunes, finement cristallisé, doux au palais. Mais l'aubépine et le mélilot, la myrtille et la bourrache, la sauge et le thym sont également sources de nectar. Dans cette flore alpestre si riche et si variée,

deux fleurs recueillent la faveur des abeilles : le framboisier qui abonde dans les zones fraîches et pierreuses des montagnes ou les sous-bois des forêts, et le tilleul, riche en pollen, au parfum qui saoûle.

Miel de tilleul jaune paille aux nuances mentholées, miel de roncier transparent comme de l'eau, miel de châtaignier au goût prononcé, clairs ou bruns, liquides ou granuleux, quelle inépuisable source de saveurs ! Associant force et douceur, fécondité et longévité, le miel est symbole de vie. En Savoie, 2000 apiculteurs ont à cœur de perpétuer cette vieille tradition montagnarde, soigneux de leur rucher, flanqué dans un coin ombragé de jardin ou de verger et parfois si familier qu'il décore le balcon du chalet.

La
Gastronomie Savoyarde
LES DELICES

DÉLICES DE SAVOIE

La pâtisserie en Savoie, c'est vraiment l'art d'apprêter avec astuce les denrées qu'on a sous la main. Il n'est pas un Savoyard qui ne se souvienne du "pain perdu" de son enfance, ces tranches de pain rassies, trempées dans un mélange d'œufs et de lait légèrement sucré, puis dorées au beurre. Plus frustes encore sont les "matafans", sortes de crêpes faites de farine et de petit lait, propres à tuer la faim. Quant à la brioche, c'était le gâteau traditionnel que l'on faisait avec le reste de la pâte à pain pétrie. A peine plus élaborés, le Saint-Genix, le gâteau de Savoie et la truffe au chocolat sont remarquables de simplicité, mais subtils à confectionner. Ainsi, pour que le Saint-Genix, brioche fourrée aux pralines, ne soit ni trop dur, ni trop mou, il y faut un tour de main spécial, privilège de quelques rares pâtissiers. Et le gâteau de Savoie, apparemment si enfantin !

C'est tout un art d'assembler jaunes d'œufs travaillés au sucre, blancs montés en neige et farine.

Le secret de ce dessert léger, presque aérien ? Soulever délicatement la pâte avec une cuillère en bois ! Simple, subtil, royal : créé à la cour de la Maison de Savoie au XIVème siècle, ce fameux gâteau est

auréolé d'une légende controversée, qui fait cependant la part belle au Comte Vert : Amédée VI aurait honoré son hôte, l'empereur d'Allemagne, de l'immense gâteau figurant le Comté de Savoie, avec ses lacs et ses montagnes. Moins doré, mais succulent, le tout récent "Régal savoyard", né des lumières gustatives,

de 36 pâtissiers. Composé d'une pâte sablée à la poudre de noisettes, garni de confiture de framboise à peine cuite et recouvert d'un biscuit mousseline, ce nouveau gâteau ne faillit pas à la tradition : il sait utiliser avec profit les fruits du pays.

Enfin, si la fève de cacao n'est pas un produit du terroir, il faut reconnaître que la tradition chocolatière est bien vivace, soutenue par deux spécialités : la truffe de Chambéry et les roseaux d'Annecy.

A l'origine de la truffe centenaire, l'ingéniosité d'un certain Dufour, confiseur chambérien, qui, devant une forte commande, se trouva à court d'ingrédients. Il ne lui restait plus que de la crème fraîche et du chocolat : que faire ? Une ganache, qu'il eut l'idée de rouler dans le cacao : la truffe de Chambéry était née !

Enfin, très appréciés des gourmets, les Roseaux d'Annecy doivent leur renommée à M. Roux, qui réussit au tout début du siècle à imiter ces longues tiges brunes poussant dru au bord du lac. Enrobés de chocolat, ces fins bâtonnets recèlent de la liqueur de framboise, du rhum, du Cointreau, du Grand-Marnier, du kirsch ou du café. Le fondant du chocolat et la vivacité de l'alcool : quelle douce et saisissante harmonie !

Il existe encore bien d'autres spécialités dont on se délecte en Savoie : tommes et petits ramoneurs au marc et en chocolat, cœurs et chardons à la liqueur, cerises et griottes enrobées, bonbons Mazet, Saint-Anthelme et galettes à l'anis. Comme autant de preuves de la solide gourmandise des Savoyards.

PROMENADE DANS LE VIGNOBLE SAVOYARD

Filles d'un pays diablement contrasté, les vignes de Savoie aiment la douceur et la clarté des lacs, mais elles ne dédaignent pas de braver les sommets ni de s'accrocher à la pente escarpée des monts alpins.
Le vignoble s'étire le long du Léman, jouxte le Rhône, cerne le lac du Bourget et vient se lover dans la Combe de Savoie, après avoir défié le Granier. Petits îlots fiers de leur identité, voici sur les rives du Léman, le Crépy qui fait Ripaille avec le Marin et le Marignan, puis près de Bonneville, l'Ayze qui pétille de fraîcheur.
Au confluent du Rhône et des Usses, les Seyssel copinent avec la Roussette de Frangy. Un peu plus bas, la fière Chautagne aux Gamay friands affronte le Lac du Bourget, tandis que la Dent du Chat domine Jongieux avec ses Jacquère incisives, ses

Roussette de Monthoux et de Marestel. Au sud de Chambéry, à St-Baldoph, Myans, Apremont et St-André-les-Marches, première commune viticole et véritable berceau des vins de Savoie, s'épanouissent les vignobles d'Abymes et d'Apremont sur les éboulis caillouteux du Mont Granier. Juste en face, mais au loin, Monterminod jaloux de sa Roussette, Saint-Jeoire-Prieuré, et Chignin fier de son Bergeron, surplombent ou longent la route des grandes stations savoyardes. Enfin dans la Combe de Savoie, de Montmélian jusqu'à Fréterive, en passant par Arbin, Cruet et St-Jean-de-la-Porte, se bousculent la Mondeuse et le Pinot, tandis que la Jacquère et le Gamay font des ronds de jambe à son Altesse.

Tout ce petit monde, vins, vignes, chais et sartos, s'épie, se côtoie et s'apprécie. Profondément enraciné dans un terroir aux mille facettes, il s'identifie à la Savoie, une mais complexe. Telle est la Savoie des vins : unique et unie dans sa richesse et sa variété.

LA GRANDE FAMILLE DES VINS DE SAVOIE

LES ENFANTS DE LA JACQUERE : ABYMES, APREMONT ET CHIGNIN

Au cœur du vignoble savoyard, voici l'Abymes et l'Apremont que domine, altier, le Mont Granier. Vallons riants, douces collines et coteaux domestiqués par la vigne ont occulté la terrible catastrophe qui fit 5000 victimes en 1248. Seuls Abymes et Apremont renvoient l'écho du fol et tragique chamboulement. Ce sont ces éboulis calcaires et caillouteux qu'a choisi la Jacquère, célèbre cépage savoyard, pour enfanter les deux crus parmi les plus typiques des Alpes.

Le raisin de Jacquère, grappe très serrée aux grains à peau épaisse, donne un vin à la robe or vert pâle, au nez de fleurs blanches, au goût de pierre à fusil.

Quand on ne connaît pas ces vins blancs très particuliers, l'on a tendance à les dénigrer : "ils agacent les gencives, ils râpent la langue, ils sont acides !" Quelles fadaises n'a-t-on pas entendues ? Gare aux préjugés, ils ont la peau dure ! Si autrefois l'on faisait le vin à la va-comme-je-te-presse, avec des raisins pas toujours bien mûrs, les chais ont bien changé, la vigne aussi. Rares sont les viticulteurs qui ne tirent pas le meilleur parti de la Jacquère : peu alcoolisés, légers, diurétiques, ses vins sont vifs et perlants.

L'Abymes et l'Apremont ont sensiblement la même allure et les mêmes qualités de jeunesse. Seules varient les nuances aromatiques en fonction du terroir, de l'exposition ou du vigneron : poire, citron et

pamplemousse, amande ou noisette, fleurs de vigne, tilleul et acacia.

Si l'Apremont jouit d'une plus grande réputation, il serait injuste d'oublier l'Abymes. Certes, le nom est difficile à porter, avec ses résonances de bas-fonds, de profondeurs abyssales et de gouffre insondable. Et pourtant, il suffit de prêter l'oreille pour que l'Abymes de Myans, l'Abymes de Chapareillan deviennent familiers et propagent leurs limpides échos bachiques au-delà du Mont Granier.

Juste en face, sur le coteau opposé, c'est le vignoble de Chignin, que dominent les tours millénaires de Saint-Anthelme.

Frère de l'Abymes et de l'Apremont, le Chignin n'a pas connu la même histoire. Il a eu la vie plus facile : protégé par la "Savoyarde", montagne de Montmélian, il pousse sur des coteaux baignés de soleil. Plus docile et plus souple, le vin de Chignin évoque l'amande et la noisette.

La Jacquère, mère prolixe, a essaimé dans toute la Savoie : Cruet, Montmélian et Saint-Jeoire-Prieuré, mais aussi la Chautagne et Jongieux.

En fait, la Jacquère, c'est toute la Savoie gaie, claire et rustique, elle donne des vins secs comme un vent d'automne au petit matin, frais comme un ruisseau capricieux de montagne, et fleuris comme un chèvrefeuille grimpant.

Beaufort, fondue et raclette sont les alliés les plus fidèles des vins de Jacquère, et surtout de l'Apremont. Mais pour exalter le côté fringant, vif et perlant de ces vins blancs singuliers, rien de tel qu'une truite meunière, rien de mieux qu'un filet de lavaret à la crème.

LE PRINCE DES VINS DE SAVOIE ET SON ALTESSE : LE CHIGNIN BERGERON ET LA ROUSSETTE

LE CHIGNIN-BERGERON, PRINCE DES VINS DE SAVOIE

Il existe des crus dont la seule évocation suffit à vous mettre le vin à la bouche. Tel est le Chignin-Bergeron, rare, presque confidentiel, qui

Les légions romaines remontant la vallée du Rhône implantèrent les côteaux de l'Hermitage. Dans la vallée de l'Isère, ils rencontrèrent le même biotop dans une boucle de l'Isère face à Montmeillan et le même cépage engendra le Chignin-Bergeron sur les Côteaux de Tormery à Chignin.

André et Michel Quenard

Raymond Quenard le père et Pascal le fils, deux vignerons au service du cépage Roussanne pour les crus exotiques Chignin, Chignin-Bergeron.

dispense ses bienfaits au compte-gouttes.
Fortement typé par son terroir, le Bergeron, principalement récolté à Chignin, mais également à Cruet et à Francin pousse au pied de la "Savoyarde", fameuse montagne de Montmélian, sur des terres très blanches. Et c'est Torméry, coteau merveilleusement exposé, qui donne les Bergeron les plus fins. Fils de l'élégante Roussanne, aux grains blanc doré, presque roux, le Chignin-Bergeron est le prince des vins de Savoie : vêtu de jaune paille dans sa jeunesse, il se pare de reflets bouton d'or en vieillissant.

Avec ses arômes de pêche, de mangue ou d'abricot, de violette ou de lilas, de miel et de fruits secs, ce vin subtil emplit la bouche, mais demeure aérien. Vin de salon ou de festin, le Chignin-Bergeron courtois, généreux et discret, aime la compagnie de l'omble-chevalier, autre grand seigneur, qui hante les lacs savoyards.

SON ALTESSE, LA ROUSSETTE

Avec la Roussette, nous pénétrons dans la légende dorée des vins de Savoie venus d'ailleurs, de Hongrie peut-être, de Chypre plus sûrement : une histoire de femme d'abord, de dot, de roi, sans doute... Amédée VIII, duc de Savoie, voulait épouser la fille du roi de Chypre. Anne

de Lusignan accepta de partir.
Et comme on emporte une
poignée de sa terre natale, la
belle eut la riche idée
de confier à ses pages le noble
plant de l'Altesse.
D'Orient en Savoie
et de l'Altesse à la Roussette,
quel chemin parcouru, que de
marches descendues !
Jeune dame aux nobles origines,
la Roussette s'est faite servante
au grand cœur. Avenante
mais racée, couronnée mais
familière, elle se dore à la
lumière sèche
des cailloux roulés.
Vraie princesse à la robe
pailletée d'or, elle prodigue ses
trésors les plus cachés :
amandes grillées, truffes,
goyave et mangue à Marestel,
violettes à Seyssel,
abricot à Frangy, miel,
pamplemousse
et ananas à Monterminod.
La Roussette ?
Une grande dame
qui a la classe du cœur.
Elle adore
la quenelle de brochet
et le filet de féra !

ALTESSE

Anne de Chypre

ROUSSETTE DE SAVOIE
APPELLATION ROUSSETTE DE SAVOIE CONTROLÉE
MIS EN BOUTEILLE PAR
CLAUDE MARANDON
12%   750 ml
ARTISAN VIGNERON A SAINT-ALBAN-LEYSSE 73000 SAVOIE
TELEPHONE : 79 33 13 65
PRODUIT DE FRANCE

"Du fait main" - terrain
caillouteux et pentu obligeant
une culture manuelle, taille
courte, vendange tardive "à la
main", les raisins ne sont
pressés qu'une fois. La cuvée
Anne de Chypre fermente
doucement dans des fûts de
chêne où ses arômes s'y
développent pendant une
année. Mis en bouteille, le vin
poursuit sa croissance en
s'affirmant chaque jour jusqu'à
devenir un véritable plaisir en
bouche.

Claude Marandon

Une pente
caillouteuse regardant le
Rhône, c'est ici que le
Marestel donne toute son
expression au cépage Altesse.

Noël Dupasquier

La
Gastronomie Savoyarde
LES VINS

A LA CROISÉE DES CHEMINS ET DES VIGNES : SEYSSEL

Pas facile de situer le vignoble seyssellan : aux portes de l'Ain, de la Savoie et de la Haute-Savoie, à l'est du Bugey et proche de la Chautagne ; en aval du barrage de Genissiat, au confluent des Usses et du Rhône : que de monts et de vaux, que de collines et de rives ! Implanté depuis le XIIème siècle sur des coteaux de moraines et de molasses, le vignoble de Seyssel bénéficie d'un microclimat aux printemps cléments et aux étés chauds et secs. Corbonod est l'un des sites préférés de l'Altesse qui donne là une excellente Roussette pleine de fraîcheur, de fleur et de fruit : avec des senteurs de violette et de muguet, des arômes d'ananas, de pêche et d'abricot, ce vin de sève laisse une impression de force, de délicatesse et d'harmonie. Mais Seyssel, c'est aussi le terroir de prédilection de la molette, raisin local aux grains tendres, blanc verdâtre, qui fournit le Seyssel mousseux.

Ce pétillant brut aux belles nuances jaune paille surprend par sa franchise et sa mousse très fine. Riche en ferments, il associe au nez l'abricot et la pêche et vient taquiner délicatement le palais. Seyssel mousseux et Roussette de Seyssel, des vins rares, en qualité comme en quantité, qui justifient amplement le bien-fondé de l'appellation, la plus ancienne de toute la région alpine.

LES FILS DU CHASSELAS : CRÉPY, MARIN, MARIGNAN ET RIPAILLE

Qui ne connaît pas le Chasselas, ce raisin aux grains jaune ambré, à la peau fine et résistante, dont on aime la saveur délicate et sucrée ? Il est vrai que le Chasselas est surtout connu comme raisin de table. Mais autour du lac Léman, en Haute-Savoie comme en Suisse, il est traditionnel de le presser. D'ailleurs, quand on le presse, il se fend sans s'écraser : voilà pourquoi dans le Valais il porte le nom de "Fendant".

En Haute-Savoie, le Chablais est la terre d'élection du Chasselas. Ses quatre crus, le Crépy, le Marin, le Marignan, et le Ripaille donnent des vins frais, fringants et perlants, qui ressemblent aux paysages qui les ont vu naître : des paysages riants, verts, léchés, aux lacs bichonnés et domestiqués.

LE CRÉPY, VIN PLEIN D'ESPRIT

Si le Crépy jouit actuellement d'une solide réputation, c'est aux moines de l'abbaye de Filly qu'il le doit : implanté dès le XIIIème siècle, le vignoble s'étend sur les pentes du Mont Crépy, l'un des derniers contreforts des Alpes, à Douvaine, Loisin et Ballaison, entre Thonon-les-Bains et Genève. Le lac Léman tout proche et les moraines calcaires conviennent tout à fait au Chasselas. Ce cépage précoce donne à Crépy un vin blanc à la robe pâle, presque transparente, élégant, léger. Selon le Docteur Ramain, éminent gastronome et fondateur de la Confrérie des Tastevins à Nuits-Saint-Georges, le Crépy serait "le plus diurétique des vins de France". Jeune, il odore l'aubépine, le muguet et la gentiane. En vieillissant, il sent la noisette et se pare de reflets dorés. Avec son perlant naturel et sa vivacité, le Crépy émoustille les papilles. Mais il ne perd rien à attendre et peut se consommer après dix ans, sans montrer un signe de fatigue.

Tant de qualités n'ont certainement pas échappé à Sa Majesté la Reine Elisabeth II qui, lors d'un déjeuner servi en son honneur, le 10 avril 1957, au Château de la Celle Saint-Cloud, put apprécier un omble-chevalier royalement associé à un Crépy 1948. Aujourd'hui la renommée du Crépy n'a pas failli. Dans sa longue bouteille-flûte, il rivalise d'élégance avec ses voisins, le Marignan et le Marin, et pétille d'esprit.

LE PIED "MARIN" BELLE EXPRESSION DE CHASSELAS

Situé juste au-dessus de la Drance et protégé des vents du nord, le vignoble de Marin pousse en coteaux, sur des sols limoneux et calcaires. Ici, comme à Crépy, Ripaille et Marignan règne le Chasselas. Un même cépage, mais un terroir différent font du Marin un vin qui ne ressemble qu'à lui-même : jaune pâle brillant, il sent, quand il est jeune, la brioche qui sort du four, puis le citron et l'ananas, les petites fleurs blanches et le lilas. Quand il prend un peu de bouteille, il s'enrichit de miel, de fleur d'acacia et termine sur une note d'amande. Seul maître à bord, le Chasselas a le pied "marin" : jamais il ne vire ; il passe même le cap, sans voile ni barre.

MARIGNAN, PLUS ANCIEN VIGNOBLE DE HAUTE-SAVOIE

Comme si l'histoire du vin était indissociable de l'histoire des religions, ce sont encore les moines qui sont à l'origine du premier vignoble de Haute-Savoie, en 1258. Soucieux de chercher le site le plus propice à la vigne, les moines de l'abbaye de Filly choisirent pour ses terres compactes et marneuses, le coteau de Boisy et achetèrent le domaine de la Tour de Marignan.

Là, croît le Chasselas, cépage malléable et productif, qui s'adapte au rude climat du Chablais, toutefois adouci par le lac Léman. A l'heure actuelle, le tout petit cru de Marignan continue d'être élaboré dans la plus vieille cave de Savoie qu'abrite l'imposante maison fortifiée de la Tour. Moins sec et plus fruité que le Crépy, le Marignan est également moins perlant. Vieilli en fûts de chêne, plus ou moins longtemps selon les cuvées, il révèle une personnalité propre à le distinguer de ses voisins. Jeune, le Marignan sent son vin primeur : jus de raisin, ananas et poire verte, tandis qu'en bouche, la vanille indique son passage dans le bois. Vieilli un an en fûts de chêne, il rappelle les fruits secs et le coing, le pain grillé et le beurre de montagne. En bouche, le chêne couvre les arômes, ce qui ne manquera pas de plaire aux amateurs de vins boisés. Apprécié par les Suisses du canton de Vaud depuis le XVIème siècle, le Marignan agrémente aujourd'hui le séjour des touristes, enrichit le filet de carpe et la raclette, et réjouit le cœur des Chablaisiens.

LE CHATEAU DE RIPAILLE, VIN SEIGNEURIAL

Thonon à ses pieds, le lac Léman en bordure, la Dent d'Oche au-dessus, la plaine du Chablais au loin : voici le domaine de Ripaille, avec son château, sa vigne et sa forêt. Dans cette chartreuse pour grands seigneurs, comtes et ducs, papes et dignitaires, catholiques et calvinistes, Genevois et Bernois se sont rassemblés ou côtoyés, croisés ou succédés, parfois même affrontés.

Ni rive, ni bombance, mais tout simplement broussailles ou mauvais bois, tel est le véritable sens de Ripaille. Dans cet immense domaine, la forêt de chênes, frênes et charmes jouxte

les prés, les champs et la vigne ; une vigne qui bénéficie d'un climat tempéré par le lac Léman et d'un sol graveleux, très perméable, composé de moraines et d'alluvions. Le Chasselas est ici le roi.

Au château de Ripaille, on ne mélange pas les générations, du moins au début. Provenant de

1989
CHATEAU DE RIPAILLE
VIN DE SAVOIE RIPAILLE
APPELLATION VIN DE SAVOIE CONTROLEE
11,5%vol   75 cl
MIS EN BOUTEILLE AU CHATEAU
PROPRIÉTAIRE : DOMAINE DE RIPAILLE . THONON-LES-BAINS (FRANCE) Tél. 50 71 75 12
PRODUIT DE FRANCE

vignes d'âges différents, chaque cuvée à son identité et sa personnalité. On reconnaît parfois les plus jeunes vignes à sentir l'ananas ou le citron, l'amande verte ou les fleurs blanches ; tandis que les fruits exotiques, la poire Williams et le coing signalent des vignes plus âgées. Quelques cuvées resteront célibataires, car elles se suffisent à elles-mêmes. D'autres seront assemblées.

C'est tout un art de célébrer ces mariages entre cuvées qui donneront le vin le plus équilibré. Mais seigneurie oblige, on se marie entre soi. Visite du château et dégustation de Ripaille : saine communion de pensées et de sensations, moment de répit dans l'entrelacs du temps qui passe.

Amédée VIII, duc de Savoie (élu pape sous le nom de Félix V) devait savourer le Chasselas (Fendant) du Château de Ripaille qui était sa résidence d'été.

Claude Guillerez

Le temps de savourer le silence auguste des lieux et de voir, juste au-dessus de la Cour des Mûriers, un héron évoluer dans les cieux de Ripaille, plus majestueux encore.

L'AYZE, PÉTILLANT DE CLASSE

Aux confins de la Haute-Savoie, dans la vallée de l'Arve, tout près de Genève, voici le tout petit vignoble d'Ayze, qui s'agrippe à la pente, depuis le

XIIIème siècle. Il pousse en coteaux sur des molasses, des marnes ou des éboulis d'origine glaciaire et s'étend sur les communes d'Ayze, de Bonneville, de la Côte d'Hyot et de Marignier.

Quelques rares et minuscules propriétés se partagent la production de ce vin de Savoie pétillant, très original. Il faut dire que le travail de la vigne, à flanc de coteau, plus pénible qu'ailleurs, ainsi que la rudesse du climat ont découragé de nombreuses générations. Il faut savoir que, maintenant, on laboure encore à l'aide de la traditionnelle charrue vigneronne, hissée au sommet des vignes au moyen d'un treuil ! Ce vignoble devrait pourtant connaître quelque essor, car le vin d'Ayze, de plus en plus apprécié pour sa typicité, décline une fiche d'identité fort singulière : l'Ayze est produit à partir de la Roussette, autrement dénommée la Mondeuse blanche, et surtout du Gringet, tous deux cépages blancs locaux, exclusivités du coin. De maturité tardive, le Gringet donne un vin aromatique et frais. Autrefois livré en fûts aux Genevois, le vin d'Ayze est depuis le début du siècle vinifié en mousseux selon les principes de la méthode champenoise. Vendu deux ans après l'année de production, ce vin est élaboré en extra-brut principalement.

Finesse de bulles, clarté de la robe, élégance du nez font de l'Ayze un pétillant très agréable. Quelques notes de violette, de pêche blanche ou de jasmin et ce petit côté citronné, brioché et feuille de cassis : que de fraîcheur !

Le vin d'Ayze est un mousseux de classe que payses et pays se sont jalousement réservé jusqu'alors. Rare, typique, unique, une véritable curiosité !

UNE JOYEUSE RIBAMBELLE : LES GAMAY

En Savoie, il est un vin, léger, acidulé et fruité qui nous vient tout droit du Beaujolais : c'est le Gamay. L'humeur voyageuse et le cœur primesautier, il décide un jour de quitter sa terre natale. De Chiroubles en Chénas et de chais en sartos, il franchit allégrement le Rhône, parvient à Jongieux et prend racine sur ses terroirs caillouteux. Puis il s'implante sur les éboulis de Chautagne et pousse même le bouchon jusqu'à Seyssel.

Enfin, après maintes tribulations, il termine ses pérégrinations sur les amas de

Un vin blanc sec tranquille, un vin effervescent, un cépage unique, le Gringet, introuvable ailleurs.

Jean et Eric Vallier

pierres de la Combe de Savoie. Le Gamay n'est peut-être pas du pays, mais il a le pied alpin. Ce qu'il préfère, c'est se nicher à flanc de coteau. Là, protégé par les monts environnants, il vit sa vie de pélerin et prend l'air du coin. A la fois rude et riante, la contrée montagneuse et vallonnée lui donne une expression juvénile et légère comme à Fréterive ou, vineuse et corsée comme à Ruffieux.

- Gamay de Jongieux, rouge cerise, rappelant en coteaux les petits fruits rouges et l'acidulé de ses cousins du Beaujolais, mais bien plus étoffé dans la plaine,

- Gamay de Chautagne à la robe intense et pourpre, aux arômes d'épices et de venaison, charnu et charpenté,

- Gamay de la Combe de Savoie, jeune garçon rustique en culottes rubis clair.

Quelle joyeuse ribambelle de vins !

LA MONDEUSE,
UNE VRAIE SAVOYARDE

Parler de la Mondeuse, c'est parler de la Savoie. Mais c'est aussi remonter au premier siècle de notre ère. C'est se rappeler avec Columelle, auteur latin, la fameuse vigne des Allobroges, qui ne donna pas d'aussi bons vins, une fois transplantée aux environs de Rome. Vivace, fertile, la Mondeuse, qui n'aime que son pays, traverse allègrement les siècles.

Fins gourmets, les moines de l'abbaye de Cluny, venus s'installer sur les rives du lac du Bourget au Xème siècle, se délectent de ce breuvage et propagent sa culture.

De Monterminod jusqu'à Seyssel et de Chapareillan jusqu'à Fréterive, la Mondeuse, vestale en habit pourpre, s'adapte au terroir savoyard. Mais les vignobles auxquels elle s'identifie le plus, ce sont les coteaux et les éboulis des falaises calcaires de la Combe de Savoie, son véritable berceau. Protégés des vents du nord, sis au pied des escarpements des Bauges, les

Vendanges tardives, concentration aromatique pour ce cépage blanc Roussanne dans ce sensuel Chignin-Bergeron et toute l'expression du cépage Mondeuse dans son vin rouge d'Arbin issu de vieilles vignes taillées très court.

Louis Magnin

PRODUIT DE FRANCE

VIN DE SAVOIE CRUET

11,5%vol   APPELLATION VIN DE SAVOIE CONTRÔLÉE   75cl

CAVE DES VINS FINS - 73800 CRUET (SAVOIE) FRANCE
MIS EN BOUTEILLE A LA PROPRIÉTÉ

La Cave des Vins Fins de Cruet (300 adhérents) regroupe 300 ha de vignes. Elle élabore 1/5 ème de la production savoyarde, sous la houlette de son directeur-vinificateur. Cave ultra-moderne, elle possède des cuves autovidantes, à remontage et décuvage automatique grâce auxquelles la Mondeuse, Arbin et St-Jean-de-la-Porte méritent une mention particulière ainsi que son blanc sec Cruet, cépage Jacquère.

Cave des Vins Fins de Cruet

vignobles d'Arbin, de Cruet, de Montmelian et de Saint-Jean-de-la-Porte donnent les crus de Mondeuse les plus réputés.
Beau raisin serré, bleu sombre, presque noir, la Mondeuse donne un jus d'une saveur sucrée mais âpre comme une prunelle. Une fois vinifiée, elle prend une couleur pourpre et des arômes de violette, framboise, fraise et myrtille.
Il n'est pas rare non plus de subodorer la cannelle, le poivre, la truffe noire. Solide et charpentée, la Mondeuse bouscule les papilles. Ferme dans sa jeunesse, elle s'adoucit avec les années.
Il faut l'oublier pour qu'elle dévoile ses charmes, et la laisser bouder au moins 5 ans dans les chais.

Alors, ragoût de chevreau, fricassée de cochon ou civet de lièvre en exalteront le bouquet. Mais il suffira d'un "boccon" de tome ou de reblochon pour en saisir toute la subtilité:
En fait, parler de la Mondeuse, c'est parler du Savoyard : nul vin ne ressemble plus à son géniteur. Tous deux enracinés dans un terroir plutôt rude, sauvage, escarpé, ils se renvoient l'un à l'autre l'image de la franchise et de la fierté, de la patience et de la fidélité. Ecueil naturel, frein à la communication, la montagne endurcit le caractère, rend distant, méfiant, rudoie la sensibilité et contraint à la simplicité. La Mondeuse est à l'image du montagnard : elle a ce côté sauvageon, rustique et

robuste qui surprend au premier abord. Mais quel dommage de rester sur cette impression ! On dit bien qu'il faut aller aux Savoyards pour qu'ils viennent à vous.
De même, il faut aller à la Mondeuse tout en sachant l'attendre. Alors, derrière le froid regard de la fierté et de la pudeur, tout comme derrière ces tanins qui tétanisent la mâchoire, se dévoile une Mondeuse à l'âme généreuse, se découvre un Savoyard au cœur d'or.

LES VINS DE PAYS D'ALLOBROGIE
Découvrir les vins de pays d'Allobrogie, c'est un peu faire revivre le passé glorieux de la Savoie. Car l'Allobrogie c'est à la fois un mythe et un symbole : le mythe des plus vieux vins de la Gaule antique chantés par l'écrivain latin Columelle et appréciés par Lucullus, consul romain connu pour son goût du raffinement. Le symbole de la Savoie rustique et gaillarde, qui se souvient de ses vaillants ancêtres :

La
Gastronomie Savoyarde
LES VINS

les Allobroges.

Et tant pis si le vin est rare, si les propriétés déjà minuscules ne cessent de se morceler, tant pis si le vignoble n'a pas la chance de figurer dans le périmètre sacré des Appellations d'Origine Contrôlée ! Les vins de pays d'Allobrogie n'ont pas à rougir de leur situation.

Disséminées dans quelques 31 cantons des deux Savoie et de l'Ain, les vignes occupent les meilleurs coteaux de la Vallée du Guiers, de la Cluse de Chambéry entre le lac du Bourget et le Mont Revard, et principalement la rive gauche de l'Isère en Combe de Savoie. Jacquère à l'air vif, Chardonnay printaniers et Gamay friands éclatent de jeunesse et de fraîcheur ils ont le caractère résolument alpin.

LES VINS DU BUGEY,
PROCHES COUSINS

Entre Bresse et Savoie, un petit vignoble isolé, à l'écart des grands axes de circulation, mais loin de se faire oublier :

Jean-Pierre Mudelon

Vins blancs
(cépages Jacquère)
crus Apremont, Abymes, Chignin.
Roussette de Savoie
(cépage Altesse)
Pétillant de Savoie
Vin rouge et rosé
Pinot, Gamay, Mondeuse

Société Jean Perrier et Fils
Vins fins de Savoie
St-André-les-Marches F 73800 Montmélian / France
Tél. 79 28 11 45 - Fax 79 28 09 91

au pays de Brillat-Savarin, les vins du Bugey ont su se créer une image de marque, perpétuant une tradition qui remonte à l'époque gallo-romaine.

Le Cerdon au nord-ouest, le bassin de Belley entre Rhône et Isère et la région de Lhuis à l'ouest, avec son coteau réputé de Montagnieu constituent l'essentiel du vignoble bugiste. Il existe peu de viticulteurs à part entière, tant les propriétés sont petites. Exploitées diversement, dans un paysage très varié de forêts, lacs, collines et montagnes, champs de maïs et pâturages, les vignes de l'Ain, implantées sur des buttes morainiques, poussent sur un sol pierreux, comparable aux terrains viticoles savoyards.

Si les vins de table constituaient une bonne partie de la production, on assiste depuis 20 ans à une reconversion du vignoble. Le Chardonnay domine, mais, aussi la Roussette, l'Aligoté et la Molette. Mais, par sage mesure de ne pas mettre tous les raisins

dans le même panier, on a planté du Gamay, de la Mondeuse et du Pinot.

Une telle palette de vins aurait fait le bonheur de Brillat-Savarin qui prônait la dégustation de plusieurs vins au cours d'un repas, car, prétendait-il

"la langue se sature au troisième verre". Eh bien, suivons le sage conseil du maître : carpe et Chardonnay ou Jacquère et lavaret, civet de turbot au Gamay ou civet de lièvre et Pinot, Mondeuse et bleu de Gex, voilà bien de saines associations !

Mais n'oublions pas à l'apéritif de goûter un Cerdon, fleuron du Bugey.

Boisson originelle, potion originale, tel est le Cerdon,

Antoine Riboud et son régisseur-vigneron Gaby Gardoni exploitent au pied de la montage de Culoz, près du Rhône, 6 ha de cépages blancs Chardonnay en V.Q.S.D. vin du Bugey. Sa production est principalement réservée à la vente aux particuliers.
Ce vin aux arômes primaires de noisette et d'acacia est mis en bouteille en mars.

Cellier du Bel air

pétillant à la tradition plus que séculaire. La plupart des maisons de la région possèdent encore une cave enterrée, signe d'un passé viticole florissant.

Le Cerdon se fait pourtant rare. Vin authentique, il pétille naturellement, grâce à une fermentation très longue qui se poursuit en bouteille capsulée, empilée debout.

De teinte rose pâle, le Cerdon, faiblement alcoolisé, présente des arômes de vin nouveau : quelques notes de cassis et de framboise, jus de raisin et pamplemousse rosé. De saveur délicate, il laisse une étonnante impression de caresse et de légèreté.

Très fines, les bulles se pressent au palais où le pétillant le dispute au moelleux.

LE VERMOUTH DE CHAMBÉRY UN BOUQUET DE SAVOIE À L'APÉRITIF

Vivante preuve de la parfaite identité culturelle savoyarde et piémontaise, le vermouth de Chambéry est un très vieil apéritif qu'inventa Joseph Chavasse en 1821.

Il faut dire qu'à l'époque, des liens privilégiés rattachaient la Savoie, le Comté de Nice et le Piémont au Royaume Sarde. Entre Turin et Chambéry, l'on échangeait ferme, commerçait dur et pensait fort. Il existait déjà des vermouth en Italie, probablement depuis le XVIIème siècle. Profitant de cette lointaine tradition, notre herboriste savoyard, par ailleurs liquoriste émérite, s'inspira des travaux d'un pharmacien turinois et fit sienne l'idée d'un vermouth façon Chambéry, plus sec, aux arômes plus fins, moins suaves.

Du vin et des herbes...

Pas n'importe quel vin, mais ce vin de Jacquère, sec, léger et minéral, issu des vignes

rocailleuses au pied du mont Granier.

Pas n'importe quelles herbes, mais ces herbes cueillies dans le jardin grandiose des Alpes environnantes.

Joseph Chavasse fit donc macérer dans un bon vin blanc

de Savoie, hysope, quinquina, genièvre, coriandre, girofle, camomille, absinthe, pétales de rose, et... encore bien d'autres plantes que le secret de fabrication oblige à taire.

Toujours est-il que ce vin d'herbes n'est pas sans rappeler le traditionnelle élaboration des vins antiques auxquels on ajoutait des épices et des aromates.

Aujourd'hui, le vermouth continue d'être fabriqué en famille et fait l'objet d'une Appellation d'Origine Contrôlée.

Mélange subtil d'arômes d'humus, de feuilles mortes et de sauge délicatement associés aux senteurs d'écorce d'orange, de camomille et d'absinthe, le vermouth dry à la belle amertume réveille les papilles. Additionné de caramel, il se colore de brun ambré et s'adoucit : c'est le vermouth rouge. Avec de la liqueur de fraise des Alpes, il se féminise en Chambéryzette.

Le vermouth est l'image de la Savoie voyageuse : il est très apprécié en dehors de la France, notamment en Angleterre, aux USA et en particulier à New York.

BONAL, APÉRITIF À LA GENTIANE

Pour avoir accouché une paysanne à la grossesse difficile,

le sage-moine, Hippolyte Bonal, chartreux de son état, fut un jour empêché de prier en rond. Avec Saint-Bruno, on ne badine pas avec la stricte observance de la règle : le mystère de la naissance doit demeurer. Alors, faute de servir Dieu, Hippolyte, fin connaisseur des plantes, mit toute sa science à soulager les souffrances de ses contemporains.

A force d'herboriser, il conçut une précieuse potion apéritive et lui donna son nom. C'était en 1865. Le Bonal était né, issu d'une mistelle de jus de raisin et d'alcool cérémonieusement associée aux racines de gentiane et de quinquina.

Aujourd'hui le Bonal a gardé toute sa force et sa simplicité. Quand on le déguste, ses arômes de cœur d'artichaut et de gentiane se marient à l'orange amère et à l'ananas, tandis que des nuances de miel, de gingembre et de coing tapissent la bouche où la douceur le dispute à l'amer.

Fabriqué à Chambéry, le Bonal est un apéritif

séveux et vigoureux à la fois, très apprécié des Japonais et des Anglais.

DE LA CUEILLETTE DES PLANTES A LA FABRICATION DES LIQUEURS

Prairies et collines, hêtraies et sapinières, désert de pierres et monts abrupts : les Alpes abritent, à tous les étages, une magnifique réserve de baies et de fruits sauvages, de vignes et de vergers, de plantes aromatiques plus ou moins difficiles à dénicher, propres à fournir les alcools les plus variés, des plus secs aux plus doux, des plus forts aux plus fruités.

Marcs de prune, de pomme ou de raisin, liqueurs de framboise, de mûre ou de myrtille, génépi, genièvre et vulnéraire, voici toute une tradition alpine de confection des alcools, domestique, artisanale ou industrielle. Parmi ces joyaux de la flore alpine, vulnéraire, gentiane et génépi constituent la base des alcools alpins les plus réputés.

Pour avoir été saccagées par les

touristes du dimanche et du mois d'août, ces espèces sont aujourd'hui protégées : la cueillette en est interdite dans les parcs nationaux, au grand dam des véritables ramasseurs de plantes, paysans et bergers, respectueux de la nature et fins connaisseurs.

En effet, rien n'est plus délicat que de cueillir ces plantes aromatiques, notamment le génépi, armoise-absinthe aux bienfaits multiples, qui croît au soleil levant, du début juillet jusqu'au 15 août, sur les rochers escarpés et les moraines glaciaires des hautes montagnes, entre 2000 et 2900 mètres d'altitude. La roche, une

touffe et les brins de génépi, jaunes, verts ou gris, miraculeusement poussés là, fragiles, graciles. Se munir de son petit Opinel, tenir la touffe et couper soigneusement les brins, en laisser deux ou trois, pourvoyeurs de graines et garants de la survie de la plante ; une plante, qui du

reste, peut-être victime du passage d'un chamois ou d'une simple chute de pierres.

Les rares zones où la cueillette est encore autorisée, dans les Alpes frontalières, de France et d'Italie, Mont-Genèvre et Mont-Cenis, sont difficiles d'accès, exigent parfois de s'encorder ; ces cachettes sont jalousement gardées par de vieux montagnards chevronnés qui continuent à fournir les distilleries locales.

ARTISANAL OU INDUSTRIEL, UN GÉNÉPI AUTHENTIQUE

L'on comprend mieux pourquoi la liqueur de génépi symbolise aux yeux du touriste tout à la fois le petit chalet d'alpages, le skieur, l'alpiniste ou le chamois : même fabriquée industriellement, cette boisson-souvenir de vacances aura toujours une origine foncièrement authentique, et vous rappellera le génépi que vous a offert, lors d'une randonnée, un berger, moins prompt à vous conduire sur les lieux sacrés de la cueillette qu'à

vous livrer le secret de sa recette : 40 brins de génépi dans un litre d'alcool à 40°, 40 jours de macération et 40 morceaux de sucre. Certes le génépi, commercialisé relève-t-il d'une élaboration plus complexe. Artisanale ou non, chaque distillerie possède son secret de fabrication : menthe, tilleul, verveine, hysope, thé des Alpes : autant de plantes associées au génépi dans des proportions très variables selon des recettes dont certaines comprennent également des épices : coriandre, sauge, thym et safran.

Infusion alcoolique de plantes qu'on laisse macérer une semaine, trois, voire davantage, la précieuse mixture est ensuite distillée, additionnée de sucre et d'alcool, jusqu'à l'obtention d'une liqueur à 20°, 30° ou 40°. Ne demandez pas le mode d'emploi ni le dosage exact, on ne vous le donnera pas.

C'est sans doute ce halo de mystère qui fait le charme de ces génépi qui rappellent au nez la sauge fraîche, la menthe et la

badiane et vous font rêver de moutons et de bergers, d'alpages et de rocailles, souvenirs de balades ou pressant appel des cimes.

UNE HISTOIRE DE MOINES ET DE CURÉS.

A l'origine des liqueurs les plus renommées des Alpes, les moines et les curés.

Aider l'homme à sauver son âme a toujours constitué l'une des tâches principales des religieux.

Mais entre autres obligations, ils se devaient d'apporter, avec la lumière divine, le réconfort et les soins de toutes sortes. Excellents connaisseurs des plantes, des herbes et des épices, apothicaires émérites, ils prescrivaient volontiers des potions qui, pour être naturelles, n'en avaient pas moins un grand pouvoir magique : ouailles et péquins, une fois guéris ou tout simplement soulagés, croyaient plus fermement en Dieu. Mission accomplie.

La foi était sauve, le foie également.

La
Gastronomie Savoyarde
EAUX DE VIE ET LIQUEURS

PETITES PRODUCTIONS FAMILIALES

C'est ainsi qu'en 1878, à Annecy, le Père Bouchet mit au point une liqueur à partir de plantes des Alpes, gentiane et génépi surtout, mais aussi badiane, coriandre, hysope, angélique, menthe et clous de girofle. Après macération et distillation, il ajouta de l'Armagnac vieilli et baptisa le tout "liqueur des Aravis". La formule et la marque ont été rachetées en 1955 au frère de l'Abbé Bouchet par des gens du pays qui installèrent la distillerie à La Clusaz, au pied de la chaîne des Aravis.

Autre liqueur, même chemin : voici le Mont-Corbier, inventé en 1888 à Saint-Jean de Maurienne par l'Abbé Guille, botaniste à ses heures et fort inquiet de la piètre santé de ses fidèles. Pas de doute, une seule cause : les mauvaises digestions, responsables de toutes les maladies, du banal mal de tête à la neurasthénie, en passant par l'envie de vomir et l'insomnie... Rien que ça ! A tant de maux, un seul

remède : une liqueur à base de plantes réputées pour leurs vertus médicinales. Et l'Abbé Guille d'assembler l'hysope, le serpolet, la camomille, la verveine, l'angélique, l'anis, la benoîte, la cannelle, la mélisse, la menthe, le millepertuis, le valériane, la vulnéraire, la grande absinthe et la gentiane. Puis il s'associa à Vincent Bon, distillateur-liquoriste du coin ; le Mont-Corbier était né, du nom d'un des plus beaux monts de la Maurienne, richement pourvu en plantes aromatiques. Rachetée en 1950, la distillerie du Pont de l'Arvan produit confidentiellement 7000 bouteilles par an, pour une clientèle de touristes, mais surtout de locaux qui, pour rien au monde, ne se passeraient de leur Mont-Corbier quotidien : question de culture et peut-être même, de digestion, Dieu seul sait !

QUE SONT DEVENUS LES BOUILLEURS DE CRU ?

Marc ou eau-de-vie, goutte ou

gnôle, une tradition chère au cœur et au corps de tous les paysans savoyards.

Tradition d'autant plus précieuse qu'elle est appelée à disparaître, puisqu'une loi abolit progressivement le privilège des bouilleurs de cru. Dans 20 ans, plus aucun particulier n'aura le droit de distiller. En Maurienne et en Tarentaise déjà, dans les petits villages de montagne, on a relégué l'alambic dans un coin du grenier. Dans la plaine, à Châteauneuf ou à Saint-Jean-de-Chevelu, les rares bouilleurs de cru s'apprêtent à mettre leur vieille machine au rancart.

Il est hélas bientôt révolu le temps où la goutte, remontant, onguent, bien souvent seul médicament, soulageait, tonifiait et égayait tout à la fois, jeunes et vieux, montagnards et paysans. Vitamine de l'époque, la gnôle donnait de l'entrain aux jeunes qui montaient à leur chalet d'alpages. Digestif, calmant, cicatrisant, désinfectant, révulsif, on ne compte plus les vertus qu'on prêtait à l'eau-de-vie, véritable panacée pour les hommes comme pour les animaux : on soignait le bœuf, la vache et le cheval avec un mélange de marc et de vin rouge tiédi. D'ailleurs autrefois, le vétérinaire et le médecin n'étaient appelés qu'exceptionnellement et dans les cas jugés graves ! Faut-il préciser qu'à ce prix aucun propriétaire récoltant n'hésite à user de son droit de bouilleur de cru. Il suffit, après en avoir été informé par voie d'affichage, de se rendre à la mairie pour déclarer la quantité approximative des produits destinés à la distillation. En règle avec l'administration, l'on peut alors, le moment venu, en novembre ou en décembre, apporter sa marchandise fermentée, pomme, prune ou marc de raisin, chez un distillateur agréé. Dans les petits villages de montagne, il n'est pas rare de trouver, dans chaque hameau, un atelier de distillation. Ailleurs, dans la Combe de Savoie, des bouilleurs

ambulants font la tournée des communes, acheminant l'alambic au moyen de bœufs ou de chevaux, puis d'un tracteur et aujourd'hui par camion, progrès oblige.

ALAMBIC, RITE ET DISTILLATION

Et cet alambic d'abord, à quoi ressemble-t-il ?
A la base, un grand four, isolé par de la terre réfractaire et possédant un portillon où seront introduites les souches de bois dur, de frêne ou d'orme, capables de tenir le foyer pendant un jour entier. Scellé au-dessus du four, l'appareil à distiller, tout en cuivre, se compose d'une cuve, d'un

bonnet, genre de grande pipe branchée à un "serpentin" immergé dans de l'eau préalablement stockée dans un réservoir. Cette tâche, lorsque l'eau courante n'existait pas, était confiée à un "pompier", parfois deux : non pas que le travail fut très pénible, mais, peu portés sur l'eau malgré les apparences, nos deux compères se relayaient quand l'un cuvait, l'autre se mettait à pomper. Voici donc venu le moment de distiller : un peu de paille de seigle au fond de la cuve pour éviter le collage ; mise en place du bonnet sur la cuve avec du mastic pour empêcher toute fuite de vapeur : quelques

précautions d'usage avant de déverser les matières à distiller. Il ne reste plus qu'à allumer le feu, puis à attendre, longuement... La goutte finit par arriver au serpentin et tombe dans un chaudron, d'abord mince filet, puis de plus en plus fort. La distillation s'achève lorsque le produit, puisé dans le chaudron et versé sur le bonnet, ne s'enflamme plus, faute d'alcool. Première phase écoulée, stade primaire de la distillation, sorte d'eau trouble dénommée "la folle" qu'il conviendra d'affiner. La seconde opération, "la repasse", celle qui donne la gnôle, exige une surveillance permanente et des préparatifs minutieux. L'on choisit le bois parmi des souches de frêne garantes d'une combustion longue et régulière. On déverse la "folle" dans la cuve de l'alambic. On fixe une paillette à l'exutoire du serpentin, afin de "régler la goutte", c'est-à-dire en contrôler le débit, constant mais très fin. Et voilà la vraie goutte qui file, claire comme du

cristal, que les amateurs vont s'empresser de savourer. Forte, raide, fruitée, elle titre environ 50° : impossible d'en connaître le degré exact, autrefois, aucun distillateur ne possédait de pèse-alcool. Qu'à cela ne tienne, la déclaration remise à la recette buraliste mentionnait généralement 20 litres d'eau-de-vie à 50°, maximum autorisé.

FAIRE LA GOUTTE, LES DIOTS ET LA FETE

Faire la goutte était à la campagne, avec le sacrifice du cochon, autre rituel, l'événement le plus attendu de l'année. Pansue, fumant, crachant, "la machine à goutte" trônait sur la place du village, conviant à la fête toute la population.
Pour goûter la gnôle, on appelait volontiers Monsieur le Curé, Monsieur le Maître (l'instituteur) et Monsieur le Garde (le garde forestier). Mais il en était un qui visitait tout au long de sa tournée à pied les ateliers de distillation et à qui l'on mettait la bonne

dose : le facteur. La distribution du courrier se terminait souvent de nuit, mais toujours à bonne destination.
Tradition fort répandue autrefois, encore vivace chez quelques viticulteurs et paysans à Jongieux comme à Châteauneuf, bouilleurs, famille et amis se réunissent autour de l'alambic où cuisent à la vapeur, à même le marc, des diots, ces saucisses pur porc typiques de Savoie. Histoire de mettre un terme à cette joyeuse embardée, de renouer avec les veillées d'antan et de déboucher quelques bouteilles jalousement gardées pour la circonstance. Malheureusement appelé à disparaître, ce grand moment de la vie paysanne et viticole ne sera bientôt plus qu'un souvenir. Car l'alambic familier se voit peu à peu détrôné par de froids appareils de laboratoire actionnés par des hommes en blouse blanche dans une sorte de "distillarium" des temps modernes.
Adieu gnôle d'antan, adieu bouilleurs de cru !

Recettes Savoyardes

SOUPE SAVOYARDE

Préparation 25 mn
Cuisson 2 h 40

Pour 6 personnes
- 250 g de lard frais coupé en 3 tranches
- 300 g de Beaufort râpé
- 1,5 l de bouillon de bœuf
- 1 verre de vin blanc sec de Savoie
- 1 c. à soupe de marc de Savoie
- 100 g de haricots rouges
- 100 g de gros haricots verts
- 2 carottes
- 1 blanc de poireau
- 3 pommes de terre
- 2 branches de céleri
- 1 à 2 courgettes moyennes
- 3 tomates
- 3 gousses d'ail
- 2 échalotes
- 4 c. à soupe d'huile d'arachide
- 1 pain de campagne coupé en tranches
- sel, poivre

- *Dans une grande casserole, mettre les haricots rouges, les recouvrir largement d'eau froide et porter lentement à ébullition, laisser cuire 1 heure 30 à petits bouillons.*
- *Eplucher et laver tous les légumes. Les couper en petits morceaux. Peler et émincer l'ail et les échalotes.*
- *Dans un grand faitout, faire chauffer l'huile, y faire revenir l'ail et les échalotes. Ajouter le poireau et le céleri, laisser cuire 5 minutes, ajouter le reste des légumes. Mouiller avec le bouillon de bœuf. Ajouter les haricots rouges égouttés et les tranches de lard. Saler, poivrer. Porter à ébullition, couvrir et laisser mijoter 1 heure.*
- *Au bout de ce temps, retirer les tranches de lard, les couper en morceaux.*
- *Passer les légumes à la moulinette ou les garder entiers selon le goût. Ajouter le vin blanc et le marc. Remettre sur le feu pendant 10 minutes.*
- *Couper le pain en tranches, les répartir dans les assiettes de service, les masquer de fromage râpé.*
- *Verser la soupe très chaude dans les assiettes, attendre que le pain soit bien imbibé et que le fromage soit fondu avant de déguster.*

Vin du Bugey rouge, à dominante cépage Gamay et Poulsard.
Servir à 15-16°

SOUPE AU BEAUFORT

Préparation 10 mn
Cuisson 15 mn

Pour 4 personnes
- 150 g de Beaufort râpé
- 50 g de Beaufort coupé en petits dés
- 50 g de crème fraîche
- 2 jaunes d'œufs
- 50 g de beurre
- 50 g de farine
- 1,5 l de bouillon maigre
- 2 dl de vin blanc sec
- 1 gousse d'ail
- 2 branches de persil
- 1 pincée de noix de muscade
- sel, poivre

- *Peler et hacher l'ail. Laver et hacher le persil.*
- *Dans une casserole à fond épais, faire fondre le beurre, ajouter la farine, bien mélanger à l'aide d'une spatule en bois. Mouiller petit à petit avec le bouillon et le vin. Ajouter la gousse d'ail et la muscade. Saler modérément et poivrer. Porter à ébullition sans cesser de remuer et ajouter le fromage râpé en pluie. Retirer du feu dès que le fromage est fondu.*
- *Dans une jatte, mélanger les œufs et la crème fraîche à l'aide d'un fouet, verser dans une soupière, verser dessus la soupe chaude sans cesser de fouetter pour obtenir un mélange homogène.*
- *Ajouter les dés de fromage et le persil haché.*
- *Servir très chaud avec éventuellement des croûtons de pain frottés à l'ail.*

Roussette de Savoie de 2-3 ans suffisamment aromatique pour enrober les saveurs riches de la soupe.
Servir à 9-10°

Rioutes

Préparation 20 mn
Cuisson 30 mn

Pour 4 personnes (12 rioutes)
- 3 verres à eau de farine fluide
- 2 c. à café d'anis en poudre
- 2 c. à café de graines d'anis ou d'aneth
- 2 pincées de sel
- poivre

- *Dans une jatte, mettre la farine, le sel, le poivre et la poudre d'anis. Ajouter 1 verre 1/2 d'eau et bien mélanger le tout pour former une boule de pâte.*
- *Séparer la pâte en 12 parts égales. Les rouler avec la paume de la main sur le plan de travail pour obtenir des boudins de la grosseur du petit doigt. Donner une forme de bracelet en nouant les deux extrémités de la pâte.*
- *Préchauffer le four th. 6 (180°).*
- *Porter une casserole d'eau salée à ébullition, y faire blanchir les rioutes pendant 10 minutes. Egoutter.*
- *Poudrer de graines d'anis et mettre au four pour 20 minutes.*

Mondeuse assez jeune d'un an ou deux, très fruitée (fruits jeunes et acidulés) pour gagner l'anis à sa cause.
Servir à 15°

MATAFAN

Préparation 20 mn
Cuisson 20 mn

Pour 4 personnes
- 250 g de pommes de terre
- 200 g de farine
- 2 œufs
- 1/2 dl de lait
- 150 g de lard fumé
- 40 g de beurre
- sel, poivre

- *Peler les pommes de terre, les râper.*
- *Couper le lard en petits dés, les faire blanchir 1 minute dans de l'eau bouillante, les égoutter.*
- *Dans un grand bol, battre les œufs en omelette avec le lait.*
- *Dans une jatte, mettre les pommes de terre, ajouter la farine, le mélange œufs-lait, les lardons, saler modérément et poivrer. Bien mélanger le tout.*
- *Dans une grande poêle, faire fondre le beurre, verser la préparation et faire cuire sur feu moyen pendant 10 minutes. Retourner la grosse crêpe et cuire encore 10 minutes.*
- *Servir bien chaud avec une salade.*

 Mondeuse de deux ou trois ans, assez tannique pour s'harmoniser avec la pâte.
Servir à 15°

Le mot Matafan vient de Matefaim : "mate la faim".

75

FRIANDS SAVOYARDS

Préparation 40 mn
Cuisson 10 mn

Pour 4 personnes
- 150 g de Beaufort râpé
- 100 g de jambon cuit
- 50 g de crème fraîche
- 4 jaunes d'œufs
- 50 g de bolets séchés
- 1 bain de friture

Béchamel
- 200 g de farine
- 80 g de beurre
- 3/4 de l de lait

Panure
- 1 œuf
- 50 g de chapelure

- *Faire tremper les bolets dans de l'eau tiède pendant 30 minutes. Les rincer et les essorer.*
- *Préparer la Béchamel : dans une casserole, faire fondre le beurre, ajouter la farine et bien mélanger le tout, puis mouiller avec le lait petit à petit sans cesser de tourner. Laisser cuire pendant 5 minutes. La Béchamel doit être très épaisse.*
- *Hors du feu, ajouter les jaunes d'œufs, le fromage et la crème.*
- *Hacher le jambon et les champignons au couteau, les incorporer à la Béchamel.*
- *Sur une plaque ou un grand plat, verser la préparation sur 1 centimètre d'épaisseur, laisser refroidir.*
- *Découper la préparation refroidie en rectangles, les passer dans l'œuf battu et dans la chapelure.*
- *Faire chauffer le bain de friture et y faire frire les friands jusqu'à ce qu'ils aient une belle couleur dorée.*
- *Servir aussitôt.*

Jacquère, Apremont, Abymes.
Ne pas servir trop frais pour une excellente harmonie.
Servir à 11°

CROUTES AUX MORILLES

Préparation 15 mn
Cuisson 15 mn

Pour 4 personnes
- 400 g de morilles fraîches
- 2 gros œufs
- 100 g de beurre
- 1 petit pot de crème fraîche
- 1/2 dl de bouillon de volaille
- 1 c. à soupe de farine
- le jus d'1 citron
- 12 tranches de pain épaisses
- sel, poivre

- *Nettoyer les morilles à l'eau courante pour retirer l'éventuel sable. Les sécher et couper en deux les plus grosses.*
- *Dans une grande poêle, faire fondre 50 g de beurre, y faire revenir les morilles pendant 4 minutes. Les poudrer de farine et mouiller de bouillon. Saler, poivrer. Laisser cuire 5 minutes.*
- *Dans une autre poêle, faire fondre le reste de beurre, y faire dorer les tranches de pain. Les déposer en couronne sur un plat de service préalablement chauffé.*
- *Dans une jatte, casser les œufs, les battre en omelette avec la crème et le jus de citron, saler et poivrer.*
- *Retirer la poêle de morilles du feu, versez-y les œufs en remuant avec une spatule jusqu'à ce qu'ils soient cuits.*
- *Déposer le tout dans le plat de service au milieu des tranches de pain. Servir aussitôt.*

Chignin ou Chignin-Bergeron.
Servir à 9-10°

TOURTE DE CARDONS A LA MOELLE

Préparation 40 mn
Cuisson 30 mn

Pour 4 personnes
- 200 g de pâte feuilletée
- 2 pieds de cardons
- 200 g de moelle de bœuf
- 1/2 l de sauce Béchamel
- 50 g de Beaufort râpé
- 25 g de parmesan râpé
- 2 c. à soupe de farine
- le jus d'1 citron
- 1 pincée de poivre de Cayenne
- sel, poivre

- *Préchauffer le four th. 6 (180°).*
- *Etaler la pâte, en garnir une tourtière, recouvrir d'une feuille de papier sulfurisé et d'une charge (grenaille ou haricots secs). Glisser au four 15 minutes.*
- *Nettoyer les cardons en ne gardant que les côtes, retirer les fils et couper les côtes en morceaux, les mettre au fur et à mesure dans de l'eau citronnée pour éviter qu'ils noircissent.*
- *Délayer la farine dans 3 litres d'eau, porter à ébullition. Ajouter les cardons égouttés, couvrir et laisser cuire 15 minutes sur feu moyen. Egoutter.*
- *Ajouter 25 g de Beaufort râpé à la Béchamel pour obtenir une sauce Mornay, puis les cardons, le poivre de Cayenne, sel et poivre. Bien mélanger le tout.*
- *Couper la moelle en rondelles, les faire pocher dans de l'eau salée et poivrée à peine frémissante. Dès que les morceaux deviennent transparents, les égoutter.*
- *Monter le thermostat du four à 7 (210°).*
- *Retirer la charge de la tarte. Foncer avec la moitié des cardons, parsemer de rondelles de moelle et recouvrir du reste de cardons. Poudrer de Beaufort râpé et de parmesan. Glisser au four pour15 minutes.*
- *Servir aussitôt.*

Roussette, Chignin-Bergeron.
Ce plat réclame un vin frais et légèrement nerveux, vif.
Servir à 9°

SOUFFLE AU BEAUFORT

Préparation 20 mn
Cuisson 25 mn

Pour 4 personnes
- 125 g de Beaufort
- 6 œufs
- 80 g de farine
- 90 g de beurre
- 3/4 de l de lait
- sel, poivre

- *Préchauffer le four th. 8 (240°).*
- *Dans une casserole à fond épais, faire fondre 80 g de beurre, ajouter la farine, bien mélanger. Ajouter le lait petit à petit sans cesser de remuer avec une spatule en bois, laisser cuire 5 minutes.*
- *Hors du feu, ajouter 100 g de Beaufort coupé en petits morceaux. Bien mélanger le tout jusqu'à ce que le fromage soit fondu. Poivrer.*
- *Casser les œufs, séparer les blancs des jaunes. Saler légèrement les blancs, les réserver au froid.*
- *Incorporer les jaunes d'oeufs un à un à la préparation au fromage, bien mélanger le tout.*
- *Monter les blancs en neige très ferme, les incorporer en soulevant la masse.*
- *Râper le reste de Beaufort.*
- *Beurrer un moule à soufflé, y verser la préparation et parsemer la surface de fromage râpé.*
- *Glisser le plat au four. Au bout de 10 minutes, baisser le four th. 6 (180°) et laisser cuire encore 25 minutes.*
- *Servir aussitôt à la sortie du four.*

Apremont jeune.
Servir à 9-10°

81

TARTE AU BEAUFORT

Préparation 20 mn
Cuisson 45 mn

Pour 4 personnes
- 300 g de pâte brisée
- 500 g de Beaufort râpé
- 1/4 de l de lait
- 3 œufs
- 2 grosses c. à soupe de crème fraîche
- 3 tranches fines de jambon cru
- 15 g de farine
- 1/2 c. à café de muscade en poudre
- 1 pincée de poivre de Cayenne
- 1 pincée de sel, poivre

- *Préchauffer le four th. 7 (210°).*
- *Etaler la pâte, en garnir un moule à tarte beurré et la faire cuire à blanc pendant 15 minutes.*
- *Casser les œufs, séparer les blancs des jaunes, réserver 2 blancs.*
- *Dans une jatte, mettre la farine, la délayer petit à petit avec le lait, ajouter le fromage râpé et les jaunes d'œufs un à un sans cesser de fouetter.*
- *Monter les blancs d'œufs en neige ferme avec une pincée de sel. Les incorporer à la préparation en soulevant la masse. Ajouter le poivre de Cayenne, la muscade et le poivre. Incorporer la crème fraîche.*
- *Couper les tranches de jambon en petites lamelles, en tapisser le fond de la tarte. Verser la préparation dessus et glisser au four pour 30 minutes. La pâte doit être bien dorée et la garniture gonflée et colorée.*
- *Servir aussitôt avec une salade verte.*

Jongieux Blanc, Apremont.
Sélectionner, de préférence des vins assez moelleux.
Servir à 10-11°

MATELOTE DU LAC

Préparation 30 mn
Cuisson 30 mn

Pour 10 personnes
- 1 brochet
- 2 perches
- 1 carpe
- 2 féras
- 20 écrevisses
- 1,200 kg de pommes de terre
- 1/2 l. de vin blanc sec
(Cruet, Apremont ou Ripaille)
- 2 c. à soupe de crème
  fraîche épaisse
- 30 g de beurre
- 2 oignons
- 2 carottes
- 1 branche d'estragon
- 1 branche de romarin
- 1 bouquet garni
(thym, laurier, persil, céleri,
blanc de poireau)
- 2 clous de girofle
- quelques croûtons frits
- sel, poivre

- *Nettoyer, vider, laver et éponger les poissons. Couper la tête et les nageoires. Les tailler en tronçons.*
- *Peler et couper les carottes en rondelles.*
- *Peler les oignons, les piquer des clous de girofle.*
- *Dans un grand faitout, mettre les têtes et les parures de poissons, le bouquet garni, l'estragon, les oignons, les carottes. Mouiller avec le vin blanc et 1/2 litre d'eau. Saler et poivrer. Faire bouillir pendant 30 minutes et laisser refroidir. Filtrer le fumet dans un chinois grille fine. Réserver.*
- *Préchauffer le four th. 7 (210°).*
- *Beurrer largement un grand plat à gratin à bords hauts.*
- *Eplucher les pommes de terre, les couper en fines tranches. En étaler la moitié dans le fond du plat. Déposer les morceaux de poissons et les écrevisses. Emietter le romarin. Saler et poivrer.*
- *Recouvrir le tout avec le reste de pommes de terre et mouiller avec le fumet jusqu'à ras bord. Glisser le plat au four. Dès que le liquide bouillonne, ajouter la crème fraîche et laisser cuire encore 20 minutes, les pommes de terre doivent être fondantes.*
- *Servir bien chaud avec des croûtons frits.*

Apremont, Ripaille.
Choisir un vin suffisamment aromatique mais aussi légèrement acide (les pommes de terre se chargeront de l'équilibre des saveurs).
Servir à 9-10°

FÉRA MEUNIERE

Préparation 15 mn
Cuisson 10 mn

Pour 4 personnes
• 1 kg de féras
• 1 dl de lait
• 5 c. à soupe de farine
• 80 g de beurre
• le jus d'1/2 citron
• 4 branches de persil
• sel, poivre

• *Ecailler, vider et laver les féras. Essuyer, saler et poivrer.*
• *Passer chaque féra dans le lait puis dans la farine.*
• *Dans une grande poêle, faire fondre le beurre, y faire cuire les féras sur feu doux 5 minutes de chaque côté.*
• *Retirer délicatement les poissons à l'aide d'une écumoire et les déposer sur un plat de service. Les arroser de jus de citron et du beurre de cuisson. Décorer de persil haché.*
• *Servir aussitôt avec des pommes vapeur ou des lamelles de céleri cuites à l'eau.*

Crépy, Ripaille.
Prendre des vins très nerveux.
Servir à 8-9°

85

ESCALOPES DE FERA AUX ECHALOTES

Préparation 20 mn
Cuisson 15 mn

Pour 4 personnes
- 1,200 kg de féras
- 100 g de beurre
- 2 échalotes
- 2 jaunes d'œufs
- 2 c. à soupe de crème fraîche
- 2 c. à soupe de farine
- 2 dl de vin blanc d'Apremont
- 1 petit verre de marc de Savoie
- 4 à 5 gouttes de vinaigre d'alcool
- sel, poivre

- *Peler et hacher les échalotes, réserver.*
- *Lever les filets des poissons, les escaloper à l'aide d'un couteau bien aiguisé (ou le faire faire par le poissonnier), rincer et essuyer avec délicatesse.*
- *Saler et poivrer, puis fariner.*
- *Dans une petite casserole faire fondre le beurre sans le faire colorer, dès qu'il est fondu retirer l'écume pour clarifier.*
- *Dans une grande poêle, verser le beurre et le faire chauffer, y faire cuire les escalopes 4 minutes d'un côté, 3 minutes de l'autre. Retirer délicatement et réserver au chaud.*
- *Dans une poêle mettre les échalotes et les faire suer 3 minutes, déglacer avec le marc de Savoie et le vinaigre. Ajouter le vin blanc. Faire réduire d'un tiers sur feu moyen. Hors du feu, ajouter les jaunes d'œufs et la crème pour lier la sauce en mélangeant le tout au fouet.*
- *Sur les assiettes de service, déposer les escalopes de féra, napper de sauce.*
- *Servir aussitôt avec des pâtes fraîches ou des pommes vapeur.*

Apremont, Chignin, Ripaille, Crépy.
Des vins de préférence gouleyants, fruités et nerveux.
Servir à 9-10°

86

QUENELLES DE FERA

Préparation 50 mn
Cuisson 10 mn

Pour 4 personnes
- 400 g de chair de féra crue
- 4 jaunes d'œufs
- 50 g de beurre
- sel, poivre

Panade
- 200 g de mie de pain
- 1/4 de l de lait
- 50 g de beurre

- *Préparer la panade : faire tremper le pain dans un peu de lait. Essorer et écraser à la fourchette.*
- *Dans une casserole, mettre la mie de pain et la faire sécher sur feu moyen en remuant à l'aide d'une cuillère en bois. Mettre dans une jatte et laisser refroidir.*
- *Bien nettoyer la chair de poisson, la hacher finement. L'ajouter à la mie de pain ainsi que le reste de lait. Saler et poivrer, bien mélanger le tout afin d'obtenir une pâte bien lisse. Ajouter les jaunes d'œufs un à un en mélangeant à nouveau. Laisser reposer 30 minutes.*
- *Former de petites quenelles à l'aide de deux cuillères. Les faire pocher dans de l'eau frémissante salée 5 minutes. Egoutter.*
- *Servir tel quel avec le beurre fondu ou faire gratiner dans un plat avec une sauce Nantua ou encore avec un peu de crème fraîche accompagnées de Nouilles Savoisienne Croix de Savoie.*

 Roussette de Frangy, Marestel.
Servir à 8-9°

LAVARET AU FOUR

Préparation 20 mn
Cuisson 30 mn

Pour 4 personnes
- 1 lavaret de 1,200 kg
- 4 gousses d'ail
- 1 bouquet de persil
- 1/2 bouteille de vin blanc
  sec de Savoie
- 20 g de beurre
- 2 c. à soupe de farine
- sel, poivre

- *Laver, vider et essuyer le poisson. Le fariner.*
- *Peler l'ail. Le hacher ainsi que le persil.*
- *Préchauffer le four th. 6 (180°).*
- *Beurrer un plat à four. Le poudrer d'ail et de persil. Déposer le poisson, saler et poivrer. Mouiller avec le vin blanc et glisser au four pour 30 minutes.*
- *Servir bien chaud avec des Taillerins aux œufs frais Croix de Savoie.*

 Chignin, Jongieux ou Chautagne Blanc.
Servir à 8-9°

90

LAVARET MODE D'AIX

Préparation 20 mn
Cuisson 35 mn

Pour 4 personnes
- 4 lavarets de 300 g
- 250 g de cèpes
- 50 g d'échalotes
- 300 g de crème fraîche
- 1/2 l de vin blanc sec de Savoie
- 2 jaunes d'œufs
- 20 g de beurre
- sel, poivre

- *Vider, laver et essuyer délicatement les lavarets.*
- *Éplucher et hacher les échalotes.*
- *Nettoyer et laver les cèpes, les émincer.*
- *Beurrer un plat à gratin, faire un lit d'échalotes et de cèpes. Y déposer les poissons, saler et poivrer. Mouiller avec le vin blanc. Glisser au four pour 15 minutes.*
- *Retirer délicatement les poissons, les déposer sur un plat de service, réserver au chaud.*
- *Faire réduire le jus de cuisson aux trois quarts, incorporer la crème fraîche et laisser cuire 10 minutes sur feu doux.*
- *Hors du feu, lier la sauce avec les jaunes d'œufs en les incorporant un à un.*
- *Napper les poissons de cette sauce, servir aussitôt avec des épinards et quelques petites carottes.*

Jongieux Blanc, Chignin.
Si possible onctueux et très aromatiques
même s'ils manquent d'acidité.
Servir à 9-10°

91

LAVARET
SAUCE AUX CAPRES

Préparation 30 mn
Cuisson 10 mn

Pour 4 personnes
- 4 lavarets de 250 g
- 100 g de beurre
- 1 citron
- 2 tranches de pain de mie
- 2 c. à soupe de farine
- 1 c. à soupe de câpres
- 1 dl d'huile
- 2 branches de persil
- sel, poivre

- *Vider et laver les poissons, les essuyer. Les saler et les poivrer puis les fariner.*
- *Couper le pain de mie en petits dés.*
- *Peler le citron à vif et dégager les quartiers à l'aide d'un petit couteau bien aiguisé. Les couper en petits dés.*
- *Hacher le persil.*
- *Dans une grande poêle, faire chauffer la moitié de l'huile et 25 g de beurre, ajouter les poissons, les faire cuire 4 minutes d'un côté et 3 minutes de l'autre.*
- *Dans une autre poêle, faire chauffer 25 g de beurre, y faire dorer les croûtons de pain.*
- *Dans un plat de service, déposer les poissons, ajouter les croûtons de pain, réserver au chaud.*
- *Dans la poêle de cuisson des poissons, faire chauffer le reste de beurre, ajouter les dés de citron, les câpres et le persil haché.*
- *Faire chauffer 3 minutes sur feu moyen.*
- *Napper les poissons de la sauce et servir aussitôt.*

Apremont, Abymes, Marin, Marignan.
Choisir des vins vifs, assez nerveux.
Servir à 8°

PERCHE AUX CHAMPIGNONS

Préparation 30 mn
Cuisson 50 mn

Pour 4 personnes
• 2 grosses perches
• 200 g de chanterelles
ou de cèpes
• 4 échalotes
• 2 dl de vin rouge
St-Jean de la Porte
• 1 dl de fumet de poisson
• 60 g de beurre
• 1 c. à soupe de farine
• 4 branches de persil
• 1 bouquet garni
• sel, poivre

• *Préchauffer le four th. 6 (180°).*
• *Ecailler les perches, couper les nageoires. Inciser sur toute la longueur du dos et retirer l'arête centrale.*
• *Ouvrir les poissons et les vider soigneusement, retirer les ouïes et les arêtes restantes, laver et éponger.*
• *Peler et hacher les échalotes.*
• *Hacher le persil.*
• *Nettoyer et émincer les champignons.*
• *Dans un plat allant au four, étaler 20 g de beurre, ajouter les échalotes, les champignons, un peu de persil haché, le bouquet garni, sel et poivre. Déposer les poissons, mouiller avec le vin rouge et le fumet de poisson, couvrir d'une feuille de papier sulfurisé beurré et glisser au four pour 30 minutes.*
• *Dès que les perches sont cuites, verser le liquide de cuisson dans une petite casserole et le faire réduire de moitié sur feu moyen.*
• *Mélanger 20 g de beurre et la farine, bien malaxer le tout. Ajouter ce mélange à la sauce réduite en fouettant énergiquement, puis incorporer le beurre restant coupé en petits morceaux toujours en fouettant. Napper les poissons de cette sauce et glisser au four pour 10 minutes.*
• *Servir bien chaud avec des pommes de terre en robe des champs ou une fine galette de pommes de terre.*

🍇 Gamay de Savoie pour les amateurs de vin rouge.
Servir à 12-13°

🍇 Abymes, Roussette de Savoie pour les classiques et inamovibles blanc-poisson.
Servir à 8-9°

OMBLE-CHEVALIER A L'ANCIENNE

Préparation 20 mn
Cuisson 20 mn

Pour 4 personnes
• 2 ombles-chevaliers de 400 g
• 300 g de cèpes
• 2 dl de vin blanc sec de Savoie
• 100 g de crème fraîche
• 50 g de beurre
• le jus d'1 citron
• sel, poivre

• *Vider, laver et essuyer les poissons, les déposer dans un plat long beurré allant au four.*
• *Nettoyer et brosser les champignons, les émincer.*
• *Préchauffer le four th. 6 (180°).*
• *Dans une sauteuse, faire fondre le beurre, y faire revenir les champignons pendant 5 minutes. Déglacer avec le vin blanc, le jus de citron et la crème fraîche. Saler et poivrer. Verser la préparation sur les poissons. Glisser au four pour 20 minutes en arrosant souvent de sauce pendant la cuisson.*
• *Servir bien chaud.*

🍇 Chignin-Bergeron, Colombières.

🍇 Chardonnay de Savoie.
Choisir des vins tendres, fruités, élégants, très aromatiques et, si possible, de 2 à 3 ans.
A mets noble, vin très noble.
Servir à 11°

OMBLE-CHEVALIER AUX CEPES

Préparation 20 mn
Cuisson 27 mn

Pour 4 personnes
• 1 omble-chevalier de 1 kg
ou 2 de 600 g
• 600 g de cèpes frais
• 2 dl de vin blanc Crépy
ou autre vin de Savoie
• 2 tomates
• le jus d'1 citron
• 50 g de beurre
• sel, poivre

• *Préchauffer le four th. 7 (210°).*
• *Vider, laver et essuyer le poisson.*
• *Nettoyer les cèpes, les couper en tranches épaisses.*
• *Beurrer largement un plat allant au four. Déposer le poisson dans le plat et les champignons autour, les arroser de jus de citron et parsemer de noisettes de beurre. Mouiller avec le vin blanc, saler et poivrer. Glisser au four pour 25 minutes en arrosant de temps en temps avec le jus de cuisson.*
• *Peler les tomates après les avoir plongées 1 minute dans de l'eau bouillante, les épépiner et les concasser.*
• *Dès que le poisson est cuit, le retirer délicatement du plat, le réserver au chaud sur un plat de service.*
• *Ajouter les tomates au jus de cuisson et remettre au four pour 2 minutes. Bien mélanger le tout.*
• *Napper le poisson de sauce et servir aussitôt.*

🍇 Crépy, Chignin-Bergeron.
Des vins très riches, assez corsés, aromatiques pour être à la hauteur du poisson et des cèpes.
Servir à 11°

POISSON DU LAC BRAISE

Préparation 20 mn
Cuisson 25 mn

Pour 4 personnes
- 1,200 kg d'ombles-chevaliers (de féras, de lavarets, de truites ou de brochet)
- 1/2 l. de fumet de poisson
- 2 échalotes
- 2 tomates
- 1 dl 1/2 de vin blanc d'Ayze ou autre vin de Savoie
- 3 c. à soupe de crème fraîche épaisse
- 3 c. à soupe de sauce béarnaise
- 30 g de beurre
- sel, poivre

- *Préchauffer le four th. 7 (210°).*
- *Vider, laver et essuyer les poissons.*
- *Peler et émincer les échalotes.*
- *Peler les tomates après les avoir plongées 1 minute dans de l'eau bouillante, les épépiner et les concasser.*
- *Beurrer largement un plat à gratin, étaler les échalotes et les tomates. Déposer les poissons.*
- *Dans une jatte, mélanger le fumet de poisson et le vin blanc, ajouter la crème fraîche, saler et poivrer. Battre vivement au fouet. Verser la préparation sur les poissons et glisser le plat au four pour 25 minutes en arrosant souvent les poissons du jus de cuisson.*
- *Retirer délicatement les poissons, réserver au chaud.*
- *Verser le jus de cuisson dans une petite casserole, faire réduire jusqu'à ce qu'il ne reste qu'un décilitre et demi de sauce. Ajouter la sauce béarnaise et napper les poissons de sauce. Servir aussitôt avec des pommes vapeur.*

🍇 Ayze pour les amateurs de bulles pendant le repas.
Servir à 8°

🍇 Roussette de Bugey car aromatique, pleine de finesse et vin assez racé.
Servir à 9-10°

TRUITE A LA CHAMBERIENNE

Préparation 15 mn
Cuisson 20 mn

Pour 4 personnes
• 4 belles truites levées en filets
• 2 échalotes
• 1 c. à café d'estragon haché
• 1 c. à café de cerfeuil haché
• 1 c. à soupe d'oscille hachée
• 5 cl de Vermouth
de Chambéry
• 2 c. à soupe de crème fraîche
liquide
• 15 g de beurre
• sel, poivre

• *Préchauffer le four th. 7 (210°).*
• *Peler et hacher les échalotes. Les mélanger avec l'estragon, le cerfeuil et l'oseille.*
• *Essuyer les filets de truites.*
• *Beurrer largement un plat à gratin, y déposer le mélange à base d'échalotes puis les filets de truites. Saler et poivrer. Mouiller avec le vermouth et glisser le plat au four pour 20 minutes.*
• *Au bout de 10 minutes de cuisson, retourner délicatement les filets de truites et les arroser de crème. Terminer la cuisson et servir dans le plat de cuisson.*

🍇 Apremont, Chignin.
En vins jeunes, vifs avec toute leur panoplie
de fruits acidulés.
Servir à 9-10°

TRUITE DE L'ARC

Préparation 10 mn
Cuisson 20 mn

Pour 4 personnes
• 4 truites
• 125 g de gruyère râpé
• 2 œufs
• 20 g de beurre
• 1 dl de vin blanc sec de Savoie
• 2 c. à soupe de crème fraîche
• sel, poivre

• *Vider, laver et essuyer les truites.*
• *Beurrer un plat à gratin, y déposer les truites. Ajouter le reste de beurre coupé en petits morceaux. Saler légèrement et poivrer. Mouiller avec le vin blanc.*
• *Poser le plat sur le feu en le protégeant avec une plaque en fonte par exemple. Porter à ébullition.*
• *Dans un bol, battre les œufs en omelette, ajouter la crème. Verser la préparation sur les truites et poudrer de fromage râpé. Glisser au four en position gril pour 10 minutes.*
• *Servir aussitôt dans le plat de cuisson.*

🍇 Vins blancs de pays d'Allobrogie ou vins blancs du Bugey, secs, nerveux, guillerets. Servir à 9-10°

TRUITE FARCIE ET BRAISEE A L'APREMONT

Préparation 45 mn
Cuisson 35 mn

Pour 4 personnes
- 4 belles truites
- 8 langoustines
- 100 g de champignons de Paris
- 100 g de truffes
- 2 échalotes
- 120 g de farine
- 140 g de beurre
- 3 œufs
- 1/4 de l de crème fraîche épaisse
- 3 dl de vin d'Apremont
- 3 dl de fumet de poisson
- 100 g d'œufs de saumon
- 20 g de beurre d'écrevisses
- sel, poivre

- *Préchauffer le four th. 6 (180°).*
- *Vider, laver et essuyer les truites.*
- *Nettoyer les champignons. Réserver 4 têtes de champignons et 4 tranches de truffe. Emincer finement le reste.*
- *Peler et émincer les échalotes.*
- *Préparer la farce : porter à ébullition 2 dl de fumet de poisson avec 80 g de beurre. Ajouter la farine tamisée en pluie et laisser sécher sur feu doux en remuant sans cesse à l'aide d'une spatule en bois. Retirer du feu : la pâte se détache des parois de la casserole.*
- *Hors du feu, incorporer un à un les œufs. Ajouter les truffes et les champignons émincés et la moitié de la crème. Saler et poivrer.*
- *Farcir les truites de cette préparation.*
- *Dans un grand plat à four, faire fondre 40 g de beurre, y faire revenir les échalotes pendant 3 minutes. Ajouter les truites pour les faire raidir 2 minutes de chaque côté. Déglacer avec le vin, le reste de fumet et le reste de la crème. Porter à ébullition. Ajouter les langoustines. Saler et poivrer.*
- *Couvrir le plat de papier sulfurisé beurré. Glisser au four pour 20 minutes.*
- *Retirer les truites du plat et enlever délicatement la peau. Ajouter le beurre d'écrevisse à la sauce. Bien mélanger.*
- *Déposer les truites dans un plat de service, les napper de sauce. Décorer avec les œufs de saumon et servir aussitôt avec des épinards en branches.*

Apremont mais très fruité avec une belle matière, riche et très aromatique. Sinon, une excellente Mondeuse très fruitée de 2 ans voire 3, délicieusement tannique.
Servir à 10°

101

OMELETTE SAVOYARDE

Préparation 15 mn
Cuisson 20 mn

Pour 4 personnes
• 8 œufs
• 150 g de lard maigre
• 1 pomme de terre
• 1 poireau
• 1 petit pot de crème fraîche
• 80 g de Comté
• 40 g de beurre
• 1 c. à soupe de persil haché
• sel, poivre

• *Peler et émincer la pomme de terre et le poireau.*
• *Couper le lard en dés, les blanchir 2 minutes dans de l'eau bouillante, les égoutter. Les faire revenir 5 minutes dans 20 g de beurre pour les faire dorer. Les retirer de la poêle en conservant la graisse de cuisson.*
• *Y faire revenir la pomme de terre et le poireau pendant 10 minutes sur feu moyen.*
• *Dans une jatte, fouetter la crème.*
• *Dans une autre, battre les œufs en omelette. Saler et poivrer. Incorporer la crème.*
• *Mettre le restant de beurre dans la poêle. Dès qu'il est chaud, ajouter les lardons à la pomme de terre et au poireau. Verser les œufs puis le Comté coupé en dés et le persil haché. Faire cuire 6 minutes sur feu moyen.*
• *Servir aussitôt sans rouler l'omelette.*

🍇 Vin de Savoie rouge à dominante de Mondeuse ou un Vin rouge de Bugey à dominante de Poulsard. Servir à 15-16°

FONDUE SAVOYARDE

Préparation 15 mn
Cuisson 15 mn

Pour 6 personnes
- 500 g de Beaufort
- 500 g d'Emmental
- 125 g de vacherin
- 1 gousse d'ail
- 1 dl de kirsch
- 5 dl de vin blanc sec
- 1 pincée de muscade
- pain coupé en gros cubes
- poivre

- *Retirer les croûtes des fromages, les couper en dés.*
- *Peler l'ail, en frotter un caquelon. Y mettre les dés de fromages, ajouter le vin blanc, le kirsch, la muscade et le poivre.*
- *Mettre sur feu doux et faire fondre les fromages en tournant avec une spatule en bois afin d'obtenir une pâte homogène et pas trop épaisse. Ajouter au besoin un peu de vin.*
- *Au milieu de la table. Déposer le caquelon sur un réchaud et à côté le pain.*
- *Piquer un cube de pain, le plonger dans la fondue, tourner pour bien imbiber le pain avant de déguster.*

Vins blancs secs. Apremont et Abymes.
Servir à 8°

FARCEMENT

Préparation 30 mn
Cuisson 3 h

Pour 4 personnes
- 1 kg de pommes de terre
- 40 g de beurre
ou de saindoux
- 8 tranches fines
de poitrine fumée
- 1 c.1/2 à soupe rase de farine
- 2 œufs
- 70 g de crème fraîche épaisse
- 24 pruneaux dénoyautés
- 50 g de raisins secs
- 24 tranches de
pommes séchées
- 2 pincées de noix
de muscade en poudre
- sel, poivre

- *Peler, laver et sécher les pommes de terre, les râper.*
- *Dans une terrine, mettre les pommes de terre, la farine, les œufs battus en omelette, la crème fraîche, les fruits secs, la muscade, sel et poivre. Bien mélanger le tout.*
- *Faire fondre le beurre sans le laisser colorer, l'ajouter à la préparation. Mélanger à nouveau.*
- *Préchauffer le four th. 5 (150°).*
- *Beurrer un moule à farcement (raboline) ou à défaut un moule à baba ou à kouglof.*
- *Tapisser les parois du moule des tranches de lard. Verser la préparation, bien tasser le tout. Fermer le moule avec son couvercle ou couvrir d'une feuille de papier sulfurisé.*
- *Poser le moule dans un bain-marie et glisser au four pour 3 heures minimum.*
- *Retourner le moule sur un plat de service.*
- *Offrir ce farcement en accompagnement d'un rôti ou d'un gibier en civet.*

Roussette de Savoie.
Servir à 12°
Mais vous pouvez choisir tout aussi bien, si vous préférez, un vin rouge de 3-4 ans, Mondeuse, vin de Savoie à dominante Pinot noir ou Mondeuse).
Servir à 15-16°

FARCON AU CERFEUIL

Préparation 30 mn
Cuisson 1 h 15

Pour 4 à 6 personnes
• 1,500 kg de pommes de terre
• 4 œufs
• 150 g de lard maigre
• 2 oignons
• 2 échalotes
• 100 g d'Emmental, de Beaufort
ou de tomme râpés
• 100 g de raisins de Corinthe
• 1/2 l de lait
• 45 g de beurre
• 3 c. à soupe de cerfeuil ciselé
• 1 c. à soupe de sucre
en poudre
• 1/2 c. à café de noix de
muscade en poudre
• sel, poivre

• *Faire cuire les pommes de terre avec leur peau pendant 30 minutes dans de l'eau bouillante salée.*
• *Les éplucher et les écraser au presse-purée ou à la fourchette.*
• *Peler les échalotes et les oignons, les couper en fines rondelles. Couper le lard en dés.*
• *Faire chauffer le lait.*
• *Dans une poêle, faire chauffer 15 g de beurre, y faire revenir les échalotes, les oignons et les dés de lard.*
• *Battre les œufs en omelette, les ajouter à la purée ainsi que le lait, les raisins, le sucre, la muscade, les fromages, les échalotes, les oignons, les lardons, le cerfeuil, sel et poivre. Bien mélanger le tout.*
• *Préchauffer le four th. 8 (240°).*
• *Dans une cocotte allant au four, faire fondre le reste de beurre, en badigeonner les parois. Verser le mélange, bien le tasser. Couvrir et glisser au four pour 35 minutes.*
• *Surveiller la cuisson, il faut que la croûte qui se forme sur le dessus soit bien dorée.*
• *Au moment de servir, renverser le farçon sur un plat de service.*
• *Servir bien chaud avec une salade à l'ail.*

Roussette.
Servir à 10-11°
Mondeuse.
Servir à 15-16°

POTEE SAVOYARDE

Préparation 20 mn
Cuisson 2 h 30

Pour 4 personnes
- 500 g de poitrine de porc maigre
- 1 jarret de porc
- 4 diots
- 300 g de lard fumé
- 1 chou frisé
- 400 g de carottes
- 400 g de pommes de terre
- 200 g de châtaignes pelées (facultatif)
- 200 g de navets
- 2 oignons
- 1 bouquet garni (ail, persil, céleri, thym, laurier)
- 2 clous de girofle
- sel, poivre

- *Nettoyer le chou, l'effeuiller. Faire blanchir les feuilles 10 minutes dans de l'eau bouillante salée, les passer sous l'eau froide et les égoutter.*
- *Éplucher tous les légumes.*
- *Piquer les diots pour éviter que leur peau craque à la cuisson.*
- *Dans une grande cocotte en fonte ou en terre, déposer la poitrine de porc, le jarret, le lard, les diots. Ajouter le bouquet garni, les clous de girofle, les oignons, les carottes et les navets, saler et poivrer.*
- *Couvrir d'eau et laisser cuire 1 heure 30 sur feu moyen en écumant le bouillon de temps en temps.*
- *Ajouter les pommes de terre dans la cocotte ainsi que les feuilles de chou et les châtaignes. Laisser cuire sur feu doux encore 1 heure. Goûter et rectifier l'assaisonnement si nécessaire.*
- *Déposer les légumes et les viandes sur un plat de service, arroser d'un peu de bouillon.*
- *Servir bien chaud avec des moutardes et des condiments (cornichons, gros sel, pickles, etc...).*

 Mondeuse d'Arbin assez tannique et fruitée. Servir à 16-17°

FILET DE BŒUF A LA SAVOYARDE

Préparation 20 mn
Cuisson 40 mn

Pour 4 personnes
- 1 kg de filet de bœuf
- 4 petites saucisses
- 1 crépine de porc
- 150 g de lard salé
- 1 gousse d'ail
- 2 échalotes
- 2 truffes
- 4 gros fonds d'artichauts
- 4 petites pommes de terre
- 6 olives vertes
- 1/2 c. à soupe de concentré de tomate
- 1/2 c. à soupe de farine
- 1 c. à soupe d'huile
- sel, poivre

- *Préchauffer le four th. 7 (210°).*
- *Peler et laver les pommes de terre.*
- *Rincer et essorer la crépine.*
- *Peler l'ail, le couper en petits morceaux ainsi que les truffes.*
- *Couper le lard en petits dés. A l'aide d'un couteau bien effilé, piquer le filet de bœuf de dés de lard, d'ail et de truffes.*
- *Envelopper la viande dans la crépine, ficeler le tout.*
- *Huiler un grand plat à gratin. Poser le filet de bœuf et les pommes de terre autour, glisser au four pour 30 minutes en arrosant de temps en temps.*
- *Pendant ce temps, peler et hacher les échalotes. Couper les fonds d'artichauts en gros dés. Dans une casserole mettre les échalotes et les dés d'artichauts, ajouter un peu de jus de cuisson de la viande. Laisser cuire 4 minutes. Poudrer de farine et mouiller avec 1 dl d'eau. Verser le concentré de tomate, saler et poivrer. Laisser mijoter sur feu doux 15 minutes.*
- *Dans une poêle bien chaude, faire griller les saucisses sans matière grasse pendant 15 minutes. Les ajouter dans la casserole avec un peu de jus de cuisson du filet de bœuf.*
- *Sur un plat de service, déposer le filet de bœuf et les pommes de terre ainsi que la garniture, décorer avec les olives vertes chauffées dans un peu d'eau chaude. Servir aussitôt.*

Pinot de Savoie.
Ne pas hésiter à choisir un vin de 2-3 ans, bien rond, élégant, suave.
Servir à 16-17°

110

SAUTE DE CABRI

Préparation 20 mn
Cuisson 50 mn

Pour 4 personnes
- 1 kg de cabri
- 100 g de lard maigre
- 8 petits oignons
- 3 carottes
- 1 branchette de thym
- 1 feuille de laurier
- 1 c. à soupe de persil haché
- 1 c. à soupe de ciboulette ciselée
- quelques feuilles d'oseille hachée
- 25 g de beurre
- 1 jaune d'œuf
- 2 c. à soupe de crème fraiche
- 1 c. à soupe de farine
- 2 dl de vin blanc sec Chignin ou Bergeron
- sel, poivre

• Couper le cabri en morceaux, les piquer de petits dés de lard maigre.
• Peler les oignons, les garder entiers.
• Peler les carottes, les couper en fines rondelles.
• Dans une cocotte, faire fondre le beurre, y faire dorer les morceaux de cabri, les poudrer de farine, bien mélanger et mouiller avec le vin blanc. Ajouter les petits oignons, les carottes, le thym et le laurier émiettés. Saler modérément et poivrer. Porter à ébullition, baisser le feu, couvrir et laisser cuire pendant 45 minutes.
• Dans une jatte, mélanger la crème et le jaune d'œuf.
• En fin de cuisson, découvrir et faire réduire la sauce sur feu vif.
• Ajouter la crème et les herbes. Bien mélanger le tout et laisser cuire 2 minutes sans bouillir.
• Servir bien chaud.

Chignin, Chignin-Bergeron.
Ne pas servir trop frais, ce serait dommage pour ce mets assez épicé et pour cette chair de cabri très tendre.
Servir à 11°

CHEVREAU AU VERMOUTH

Préparation 20 mn
Marinade 4 h
Cuisson 1 h

Pour 6 personnes
- 1/2 chevreau
- 200 g de jambon cru
- 400 g d'oignons nouveaux
- 250 g de champignons de Paris
- 2 tomates
- 100 g d'olives vertes
- le jus d'1 citron
- 50 g de beurre
- 1 dl d'huile d'olive
- 1 dl de vermouth de Chambéry
- 2 c. à soupe rases de farine
- 1 branchette de thym
- 1 feuille de laurier
- 1 pincée de romarin
- 1 pincée de sarriette
- 1 gousse d'ail

- *Découper le chevreau en morceaux, saler et poivrer.*
- *Dans une grande jatte, mettre les morceaux de chevreau, le jus de citron, l'huile d'olive, le thym, le laurier, le romarin et la sarriette.*
Laisser mariner au frais pendant 4 heures en retournant de temps en temps les morceaux de viande.
- *Couper le jambon en dés.*
- *Peler et émincer les oignons.*
- *Peler les tomates après les avoir plongées 1 minute dans de l'eau bouillante. Les épépiner et les concasser.*
- *Peler la gousse d'ail, l'écraser.*
- *Faire blanchir les olives dans de l'eau bouillante pendant 5 minutes, les égoutter.*
- *Nettoyer les champignons, les émincer.*
- *Dans une grande cocotte, faire fondre le beurre, y faire revenir les oignons, les champignons et les dés de jambon pendant 5 minutes. Dès qu'ils sont dorés, retirer et réserver.*
- *Egoutter les morceaux de chevreau, fariner légèrement.*
- *Dans la cocotte de cuisson des champignons, faire revenir les morceaux de viande, dès qu'ils sont dorés, retirer et réserver.*
- *Déglacer la cocotte avec le vermouth, ajouter l'ail et les tomates. Saler et poivrer. Verser 1/2 dl d'eau, mélanger et porter à ébullition. Dès que la sauce bout, ajouter les morceaux de chevreau et laisser cuire 15 minutes. Ajouter les olives, le jambon, les oignons et les champignons. Laisser cuire encore 30 minutes sur feu doux.*
- *Servir bien chaud.*

🍇 Roussette. Servir à 11°

🍇 Gamay. Servir à 13-14°

COTES DE PORC AU VERMOUTH

Préparation 5 mn
Cuisson 30 mn

Pour 4 personnes
- 4 côtes de porc
- 1 dl 1/2 de vermouth blanc de Chambéry
- 100 g de crème fraîche épaisse
- 50 g de beurre
- 2 c. à café de fécule
- sel, poivre

- *Dans une grande poêle, faire fondre le beurre, y faire revenir les côtes de porc 5 minutes de chaque côté. Saler et poivrer.*
- *Baisser le feu et laisser cuire 10 minutes de chaque côté.*
- *Déposer les côtes sur un plat de service, réserver au chaud.*
- *Déglacer la poêle avec le vermouth et laisser réduire le jus de moitié.*
- *Dans une tasse, délayer la fécule et la crème fraîche, les ajouter dans la poêle en remuant bien. Faire légèrement épaissir sur feu moyen. Saler et poivrer. Ajouter le jus rendu par les côtes de porc. Napper la viande de cette sauce.*
- *Servir bien chaud avec des haricots verts à l'anglaise.*

Chignin, Roussette de Seyssel.
Servir à 11°

Mondeuse assez jeune, fruitée.
Servir à 15-16°

FILET MIGNON DE PORC SAUCE AUX MORILLES

Préparation 20 mn
Marinade 2 h
Cuisson 30 mn

Pour 4 personnes
- 600 g de filet mignon de porc
- 100 g de morilles séchées
- 30 g de beurre
- 100 g de crème fraîche
- 1 dl de lait
- 1/2 c. à soupe de farine
- 3 c. à soupe de Cognac
- 3 c. à soupe de Porto
- 2 c. à soupe de persil haché
- sel, poivre

Marinade
- 2 c. à soupe d'huile d'arachide
- 1 c. à soupe de Cognac
- 1/2 c. à soupe de moutarde de Dijon
- 1 branchette de thym émiettée

- *Faire tremper les morilles dans de l'eau tiède et le lait.*
- *Dans une jatte, mélanger tous les ingrédients de la marinade, en tartiner le filet de porc et le laisser s'en imbiber pendant 2 heures au frais.*
- *Dans une cocotte, faire fondre la moitié du beurre, y faire revenir le filet mignon enrobé de sa marinade sur feu vif pendant 15 minutes, saler et poivrer.*
- *Egoutter les morilles, filtrer le jus et réserver.*
- *Dans une casserole, faire fondre le reste du beurre, ajouter la farine, bien remuer avec une cuillère en bois, mouiller petit à petit avec 1 dl 1/2 d'eau de trempage des morilles sans cesser de tourner. Ajouter les morilles, coupées en deux si elles sont trop grosses. Saler poivrer et laisser mijoter 10 minutes sur feu doux. Ajouter le Cognac, le Porto, le persil et la crème fraîche. Laisser cuire encore 3 à 4 minutes en remuant.*
- *Au moment de servir, découper le filet en tranches épaisses, les disposer sur un plat de service, napper de sauce très chaude et verser le jus de cuisson du filet autour de la viande.*

Pinot de Chautagne.
Choisir un vin tendre mais néanmoins très fruité.
Servir à 16-17°

FRICASSEE DE PORCELET

Préparation 15 mn
Marinade 24 h
Cuisson 2 h

Pour 4 personnes
- 800 g de filet de porc
- 100 g de crème fraîche épaisse
- 1 c. à soupe de farine
- 25 g de beurre
- sel, poivre

Marinade
- 2 dl de vin rouge Mondeuse
- 1 oignon
- 1 branche de thym
- 1 feuille de laurier
- sel, poivre

- *Peler et hacher l'oignon.*
- *Couper la viande en tranches, les déposer dans un plat creux, les parsemer d'oignon haché, de thym et de laurier émiettés. Couvrir de vin rouge, saler et poivrer. Laisser mariner dans un endroit frais pendant 24 heures en retournant la viande de temps en temps.*
- *Le lendemain, égoutter les morceaux de viande.*
- *Dans une cocotte, faire fondre le beurre, y faire revenir les tranches de porc. Poudrer de farine, bien mélanger à l'aide d'une cuillère en bois et mouiller avec la marinade filtrée et 1 dl d'eau. Couvrir et laisser cuire sur feu très doux pendant 2 heures.*
- *Au bout de ce temps, lier la sauce avec la crème fraîche, goûter et rectifier l'assaisonnement si nécessaire.*
- *Servir aussitôt avec une polenta, des nouilles fraîches, des Gallines Croix de Savoie ou des pommes de terre cuites à l'anglaise.*

 Mondeuse assez riche, corsée, aromatique de 3 ou 4 ans pour que l'harmonie soit totale. Servir à 15°

FRICASSEE NANETTE

Préparation 20 mn
Cuisson 1 h 30

Pour 4 personnes
- 1 kg de collet de porc fraîchement tué
- 2 c. à soupe de sang de porc frais et salé
- 3 carottes
- 30 g de beurre
- 1 c. à soupe de farine
- 2 dl de vin blanc sec Ripaille, Apremont ou Chignin
- 1 bouquet garni avec quelques feuilles vertes de poireau
- sel, poivre

- *Peler et émincer les carottes en rondelles.*
- *Couper la viande en petits morceaux.*
- *Dans une cocotte, faire fondre le beurre, y faire revenir les morceaux de porc. Poudrer de farine et bien mélanger le tout. Mouiller avec le vin blanc et 1 dl d'eau. Saler et poivrer. Ajouter le bouquet garni et les carottes. Couvrir et cuire sur feu doux pendant 1 heure 30.*
- *Au dernier moment, ajouter (si possible) le sang de porc frais et salé pour lui éviter de cailler.*
- *Servir ce plat avec une polenta, grenaison moyenne, Croix de Savoie (voir chapitre Pâtes et Polenta).*

 Ripaille, Apremont, Chignin.
Servir à 11°

 Vin de Savoie rouge à dominante Mondeuse ne sera pas du tout incompatible avec les flaveurs du plat. Bien au contraire.
Servir à 16°

ESCALOPES DE VEAU AMEDEE VIII

Préparation 5 mn
Cuisson 15 mn

Pour 4 personnes
• 4 escalopes de veau épaisses
• 40 g de beurre
• 1/2 dl de vin blanc sec Ripaille
• 1 c. à soupe de crème fraîche
• 1 c. à soupe de farine
• sel, poivre

• *Saler et poivrer les escalopes, les fariner légèrement.*
• *Dans une poêle, faire chauffer le beurre, y faire revenir les escalopes sur feu vif pendant 5 minutes, elles doivent être bien grillées. Mouiller avec le vin blanc, couvrir et laisser cuire pendant 10 minutes sur feu doux.*
• *Déposer les escalopes sur un plat de service, déglacer la poêle avec un trait de Ripaille et ajouter la crème fraîche. Goûter et rectifier l'assaisonnement si nécessaire. Verser la sauce sur les escalopes, servir aussitôt.*

Ripaille.
Servir à 10°
Les amateurs de vin rouge choisiront du Gamay ou un vin de Savoie léger.
Servir à 14-15°

DIOTS A LA BRAISE

Préparation 10 mn
Cuisson 15 mn

Pour 4 personnes
• 8 diots
• 8 portions de pain polenta
(voir chapitre Pâtes et Polenta)
• 20 g de beurre
• sel, poivre

• *Piquer les diots à l'aide d'une fourchette pour que leur peau n'éclate pas à la cuisson.*
• *Les poser sur les braises d'un feu de bois et les faire cuire de tous les côtés jusqu'à ce qu'ils soient bien dorés. Saler et poivrer.*
• *Pendant ce temps, couper la polenta cuite et sèche en losanges.*
• *Dans une grande poêle, faire fondre le beurre, y faire dorer les morceaux de polenta.*
• *Servir bien chaud avec les diots.*

🍇 Apremont.
Servir à 10°

🍇 Gamay de Chautagne, Mondeuse.
Servir à 15-16°

DIOTS A LA POELE

Préparation 10 mn
Cuisson 30 mn

Pour 4 personnes
• 8 diots bien secs
• 2 oignons
• 30 g de saindoux
ou de beurre
• 2 c. à soupe de farine
• 2 dl de vin blanc sec de Savoie
• poivre

• *Piquer les diots à la fourchette pour que leur peau n'éclate pas à la cuisson.*
• *Les faire cuire 10 minutes dans de l'eau bouillante salée afin de faire évacuer le maximum de graisse.*
• *Peler et émincer les oignons.*
• *Dans une grande poêle, faire fondre le saindoux, y faire revenir les oignons. Poudrer de farine et bien mélanger puis mouiller avec le vin blanc. Poivrer. Ajouter les diots égouttés, couvrir et laisser mijoter pendant 20 minutes.*
• *Servir bien chaud avec des pommes de terre cuites à l'eau.*

Apremont, Abymes.
Servir à 10-11°

121

DIOTS DES VIGNERONS

Préparation 15 mn
Cuisson 35 mn

Pour 4 personnes
• 8 diots
• 2 échalotes grises
• 60 cl de vin blanc des Abymes
ou d'Apremont
• 12 pommes de terre
• 1 fagot de sarments de vigne
lavés et séchés
• 30 g de beurre
• sel, poivre

• *Peler, laver et sécher les pommes de terre.*
• *Peler et émincer les échalotes.*
• *Piquer les diots pour que leur peau n'éclate pas à la cuisson.*
• *Dans un grand faitout, faire fondre le beurre, y faire revenir sur feu doux les échalotes pendant 10 minutes en remuant de temps en temps.*
• *Mouiller petit à petit avec le vin blanc, déposer les sarments de vigne, puis les diots, saler et poivrer. Ajouter les pommes de terre sur les diots, saler. Couvrir et laisser cuire sur feu doux pendant 35 minutes.*
• *Vérifier que les pommes de terre soient cuites et qu'il reste du liquide dans le faitout, au besoin ajouter du vin pour poursuivre la cuisson des pommes de terre.*
• *Servir bien chaud.*

 Abymes, Apremont.
Servir à 11-12°

DIOTS DE CHOUX

Préparation 1 h

Pour 5 kg de diots
- 3,500 kg de choux
- 1,200 kg de lard gras
- 6 g de sel
- 1 g de poivre par kg
- 5 gousses d'ail
- 1 c. à café de noix de muscade
- 10 clous de girofle
- des boyaux

- *Nettoyer les choux, les effeuiller.*
- *Dans un grand faitout, amener l'eau à ébullition, y mettre les feuilles de choux. Dès que l'eau bout à nouveau, laisser cuire 10 minutes. Egoutter les feuilles de chou, les sécher dans un linge propre. Les hacher.*
- *Peler et hacher l'ail.*
- *Couper le lard en petits morceaux.*
- *Dans une grande jatte, mélanger les morceaux de lard, l'ail, le sel, le poivre, la noix de muscade et les clous de girofle écrasés.*
- *Former de petites boulettes et en remplir des boyaux à l'aide d'une machine à saucisses en alternant la viande et le chou. Ne pas trop remplir les boyaux.*

Mondeuse, Gamay de Chautagne
ou de Jongieux.
Servir à 16°

PORMONIERS AUX POMMES DE TERRE

Préparation 10 mn
Cuisson 50 mn

Pour 4 personnes
- 8 pormoniers
- 8 pommes de terre
- 1 bouquet garni
- 2 clous de girofle
- 2 gousses d'ail
- 300 g de petit salé
- poivre

- *Peler l'ail.*
- *Peler et laver les pommes de terre.*
- *Piquer les pormoniers pour que leur peau n'éclate pas à la cuisson.*
- *Dans une grande casserole, porter de l'eau à ébullition. Ajouter le petit salé, le bouquet garni, les clous de girofle, l'ail et le poivre.*
- *Couvrir et laisser cuire 30 minutes sur feu moyen.*
- *Filtrer le bouillon et réserver le petit salé pour une autre recette (en salade par exemple).*
- *Reverser le bouillon dans une casserole, ajouter les pommes de terre et les pormoniers, couvrir et laisser cuire sur feu doux pendant 20 minutes.*
- *Servir bien chaud avec une salade.*

Mondeuse.
Un vin rouge de Savoie très rustique mais fruité peut faire l'affaire.
Servir à 16°

TRIPES A LA SAVOYARDE

Préparation 20 mn
Cuisson 4 h

Pour 4 personnes
• 1 kg de tripes bien nettoyées
• 2 carottes
• 3 navets
• 3 oignons
• 1 branche de céleri
• 1 verre à liqueur d'eau-de-vie
• 3 dl de vin blanc Apremont ou Bergeron
• 1 bol de bouillon de viande
• 60 g de beurre
• 1 brin de thym
• 1 feuille de laurier
• 1 c. à café 1/2 de noix de muscade en poudre
• sel, poivre

• *Peler et émincer les oignons, les carottes, les navets et le céleri.*
• *Faire blanchir les tripes dans de l'eau bouillante salée pendant 10 minutes. Les égoutter et les couper en morceaux.*
• *Dans une cocotte, faire fondre le beurre, y faire revenir les tripes et les oignons pendant 3 minutes. Ajouter les autres légumes, bien mélanger le tout. Mouiller avec le vin blanc et le bouillon, saler et poivrer. Ajouter le thym, le laurier et la muscade. Couvrir et laisser cuire sur feu doux pendant 4 heures.*
• *Au moment de servir, faire chauffer l'eau-de-vie dans une louche. L'enflammer et le verser dans la cocotte.*
• *Servir aussitôt avec des pommes de terre cuites à l'eau.*

🍇 Apremont, Chignin-Bergeron.
Servir à 10-11°

🍇 Gamay pour les inconditionnels du rouge mais un Gamay jeune, guilleret et vif.
Servir à 15-16°

Coq au Crépy

Préparation 20 mn
Marinade 24 h
Cuisson 1 h 15

Pour 6 personnes
- 1 coq de 2 kg
- 1 bouteille de vin de Crépy
- 2 carottes
- 2 oignons
- 2 échalotes
- 300 g de petits oignons
- 140 g de beurre
- 1/2 l de crème fraîche
- 1 c. à soupe de farine
- 1 bouquet garni
- sel, poivre

- *Vider et flamber le coq, le couper en morceaux.*
- *Éplucher et émincer les carottes, les gros oignons et les échalotes.*
- *Dans un grand plat, mettre les morceaux de coq, ajouter les légumes émincés, le bouquet garni et le vin blanc. Saler et poivrer. Bien mélanger le tout et laisser mariner 24 heures dans un endroit frais.*
- *Le lendemain, égoutter les morceaux de coq.*
- *Dans une cocotte, faire fondre 100 g de beurre, y faire revenir la viande sans la laisser trop colorer, poudrer de farine, ajouter la crème fraîche et mouiller avec la marinade. Saler et laisser mijoter pendant 1 heure 15.*
- *Peler les petits oignons, les faire revenir dans le reste de beurre sur feu doux pendant 20 minutes, ils doivent être un peu colorés et fondants.*
- *Dès que le coq est cuit, poivrer et bien mélanger le tout.*
- *Déposer les morceaux de coq dans un plat de service, les napper de sauce passée au chinois. Servir aussitôt avec les petits oignons.*

🍇 Crépy.
Servir à 10°

🍇 Pinot de Savoie pour les inconditionnels du vin rouge avec le coq. Un vin riche et très aromatique si possible.
Servir à 16-17°

128

BLANQUETTE DE POULET SAVOYARDE

Préparation 15 mn
Cuisson 1 h

Pour 4 personnes
- 1 poulet de grain
- 12 petits oignons
- 100 g de beurre
- 1 c. à soupe de farine
- 1/2 bouteille de vin blanc sec de Savoie
- 1 petit bouquet garni
- 1 morceau de sucre
- 1 gousse d'ail
- 3 jaunes d'œufs
- 2 c. à soupe de crème fraîche
- le jus d'1/2 citron
- sel, poivre

- *Couper le poulet en 8 morceaux (2 cuisses, 2 ailes, 2 ailerons et la carcasse coupée en deux). Saler et poivrer.*
- *Peler les petits oignons, les garder entier.*
- *Dans une grande cocotte, faire chauffer le beurre y faire revenir les morceaux de poulet et les oignons. Couvrir et faire cuire sur feu doux pendant 30 minutes, en remuant de temps en temps.*
- *Fariner et mouiller avec le vin blanc et 1 dl d'eau, ajouter le bouquet garni, le sucre, l'ail écrasé mais non épluché, saler et poivrer. Couvrir et laisser cuire sur feu doux pendant 30 minutes.*
- *Dans une jatte, mettre les jaunes d'œufs, la crème fraîche, le jus de citron, bien mélanger le tout.*
- *Dès que le poulet est cuit, retirer le bouquet garni et la gousse d'ail, incorporer hors du feu le mélange œufs-crème-citron.*
- *Dresser aussitôt les morceaux de poulet sur un plat de service chaud.*

Apremont, Jongieux Blanc.
Choisir un vin onctueux, très rond et aromatique.
Servir à 8-10°

POULET SAUTE A LA SAVOYARDE

Préparation 20 mn
Cuisson 35 mn

Pour 4 personnes
- 1 poulet de grain
- 150 g de lard maigre
- 12 petits oignons
- 1 tomate
- 1/2 verre de vin blanc sec
- 100 g de beurre
- 1 c. à soupe de persil haché
- 1 c. à soupe d'estragon haché
- 1 pincée de muscade
- 1 pincée de farine
- sel, poivre

- *Découper le poulet en morceaux, les poudrer de muscade, de sel et de poivre.*
- *Eplucher les oignons.*
- *Peler la tomate après l'avoir plongée dans de l'eau bouillante, l'épépiner et la concasser.*
- *Couper le lard en dés.*
- *Dans une sauteuse, faire chauffer 50 g de beurre, y faire revenir les morceaux de poulet pendant 5 minutes, ajouter les oignons et le lard. Dès que le tout est coloré, ajouter la tomate. Poudrer d'un peu de farine, mouiller avec le vin blanc. Bien mélanger. Couvrir et laisser cuire 30 minutes.*
- *Au moment de servir, ajouter le reste de beurre coupé en morceaux, l'estragon et le persil. Mélanger.*
- *Servir bien chaud.*

🍇 Apremont, Abymes.
Servir à 10-11°

🍇 Vin de Savoie rouge pour les inconditionnels de rouge. Vin assez jeune (1 ou 2 ans), fruité et vif. Servir à 16°

POULET AU BEAUFORT

Préparation 15 mn
Cuisson 40 mn

Pour 4 personnes
• 1 poulet de grain
• 150 g de Beaufort râpé
• 2 c. à soupe de moutarde
• 2 dl de vin blanc sec de Savoie
• 5 cl d'huile
• 1 c. à soupe de farine
• sel, poivre

• *Découper le poulet en morceaux.*
• *Dans une cocotte, faire chauffer l'huile, y faire revenir les morceaux de poulet. Poudrer de farine, bien mélanger puis mouiller de vin blanc et de 3 dl d'eau. Porter à ébullition.*
• *Ajouter la moutarde et laisser mijoter sur feu doux pendant 30 minutes. Saler modérément et poivrer.*
• *Incorporer le Beaufort râpé, mélanger et laisser cuire encore 3 minutes.*
• *Servir aussitôt avec du riz ou des coquillettes Croix de Savoie.*

Chignin.
Servir à 10°

POULET AUX CEPES

Préparation 20 mn
Cuisson 50 mn

Pour 4 personnes
- 1 poulet de grain de 1,500 kg
- 12 beaux cèpes frais
- 100 g de beurre
- 1 dl de vin blanc sec de Savoie
- 3 gousses d'ail
- 1 bouquet de persil
- le jus d'1 citron
- sel, poivre

- *Nettoyer les cèpes, les couper en quatre.*
- *Couper le poulet en morceaux.*
- *Dans une cocotte, faire chauffer 50 g de beurre, y faire revenir les morceaux de poulet pendant 10 minutes, saler et poivrer. Les retirer et les réserver.*
- *Dans la même cocotte, faire fondre le reste de beurre, y faire revenir les cèpes sur feu très vif pendant 5 minutes. Déglacer avec le vin blanc. Remettre les morceaux de poulet. Baisser le feu, couvrir et laisser cuire 30 minutes.*
- *Peler les gousses d'ail, les hacher ainsi que le persil. Les ajouter dans la cocotte avec le jus de citron 5 minutes avant de servir.*

Chignin, Jongieux ou Chautagne Blanc.
Servir à 10°

POULARDE A LA CREME D'ESTRAGON

Préparation 20 mn
Cuisson 1 h

Pour 4 personnes
• 1 poularde de 1,500 kg
• 2 carottes
• 2 oignons
• 6 branches d'estragon
• 1/2 l de crème
• 20 g de beurre
• sel, poivre

• *Peler et émincer les carottes et les oignons.*
• *Couper la poularde en morceaux.*
• *Beurrer une cocotte, déposer au fond les abattis de la poule, l'estragon, les carottes et les oignons. Poser dessus les morceaux de poule, peau en dessous. Saler, poivrer. Couvrir et faire cuire 45 minutes sur feu doux.*
• *Au bout de ce temps, retirer les morceaux de poule, laisser les abattis, ajouter la crème fraîche et faire réduire à découvert pendant 15 minutes.*
• *Passer la sauce au chinois, en napper les morceaux de poule.*
• *Servir bien chaud avec du riz créole.*

🍇 Marestel, Pinot de Savoie.
Servir à 16°

G IGOT DE CHEVREUIL EN FRICOT

Préparation 30 mn
Marinade 48 h
Cuisson 5 h

Pour 6 personnes
• 1 gigot de chevreuil
• 100 g de lard coupé en dés
• beurre

Marinade
• 1 bouteille de vin rouge
Mondeuse ou Gamay
• 2 dl de vinaigre de vin
• 1 dl d'huile de tournesol
• 2 oignons, 3 échalotes
• 2 gousses d'ail, 2 carottes
• 1 bouquet garni (thym,
laurier, persil, céleri)
• 2 feuilles de sauge
• 1 branchette de romarin
• 1/2 c. à café de 4 épices
• 2 clous de girofle
• 1 c. à café de baies
de genièvre
• 1 pincée de Cayenne
• 1 c. à soupe de sucre
en poudre
• sel, poivre du moulin

Fricot
• 500 g de poires très fermes
• 500 g de pommes de terre
• 200 g de crème fraîche épaisse
• 50 g de beurre
• 1 c. à soupe de farine
• sel, poivre

• *Larder le cuissot de chevreuil. Le saler et le poivrer.*
• *Préparer la marinade : peler et émincer les oignons, les échalotes, l'ail et les carottes. Les faire revenir dans l'huile, 4 minutes. Mouiller avec le vin et le vinaigre. Porter à ébullition. Ajouter sel, poivre, le Cayenne, le bouquet garni, la sauge, le romarin, le genièvre, les 4 épices, les clous de girofle et le sucre. Faire cuire à gros bouillons 4 heures et laisser complètement refroidir. Verser la marinade sur le cuissot, réserver 48 heures dans un endroit frais. Retourner souvent la viande .*
• *Au bout de ce temps, égoutter et essuyer la viande, filtrer la marinade, réserver.*
• *Préchauffer le four th. 7 (210°). Déposer le cuissot dans un plat à gratin, le parsemer de noisettes de beurre, glisser au four. Compter 15 minutes de cuisson par livre.*
• *Préparer le fricot : peler les poires et les pommes de terre, les couper en dés. Les faire dorer dans le beurre fondu, fariner, saler et poivrer. Mouiller avec 1 dl d'eau, couvrir et laisser cuire sur feu doux sans remuer pendant 35 minutes.*
• *Sortir le plat du four, réserver le cuissot au chaud, enveloppé hermétiquement dans une feuille de papier d'aluminium.*
• *Déglacer le plat de cuisson avec 1 dl de marinade, porter à ébullition, bien mélanger.*
• *Au moment de servir, couper la viande en tranches, les déposer sur un plat de service chaud. Retourner le fricot sur un plat, napper de crème fraîche froide, servir avec la sauce à part.*

Pinot de Chautagne, Mondeuse.
Choisir des vins gouleyants, tendres, ronds, souples mais très fruités.
Servir à 16°

CIVET DE CHAMOIS DES ALPES

Préparation 20 mn
Marinade 48 h
Cuisson 2 h 10

Pour 4 personnes
- 1 kg de viande de chamois
- 1 l de bon vin rouge
- 1 oignon
- 2 carottes
- 1 branche de céleri
- 1 c. à soupe de farine
- 50 g de saindoux
- 50 g de crème fraîche
- 1 dl de sang de porc
- 4 clous de girofle
- 1 feuille de laurier
- 1 branchette de sapin
- sel, poivre

- *Découper la viande de chamois en gros cubes de 3 centimètres de côté.*
- *Préparer la marinade : éplucher et émincer les carottes, l'oignon et le céleri.*
- *Dans une grande jatte, mettre les légumes, les morceaux de viande, le laurier, les clous de girofle, la branchette de sapin, saler, poivrer. Mouiller avec le vin rouge, bien mélanger et laisser mariner dans le bas du réfrigérateur pendant 48 heures.*
- *Au bout de ce temps, égoutter les morceaux de viande, filtrer la marinade.*
- *Dans une cocotte, faire fondre le saindoux, y faire revenir les morceaux de chamois. Dès qu'ils sont dorés, poudrer de farine et mouiller avec la marinade. Laisser cuire à couvert pendant 2 heures sur feu moyen.*
- *Au moment de servir, lier la sauce avec le sang de porc et la crème, la sauce ne doit pas bouillir.*
- *Servir bien chaud avec des Taillerins aux noix ou aux myrtilles Croix de Savoie tel quel, ou avec des croûtons et des lardons.*

Mondeuse d'Arbin.
Choisir un vin très tannique mais souple, corsé mais harmonieux.
Servir à 16-17°

GRATIN DE CROZETS BLANCS

Préparation 5 mn
Cuisson 40 mn

Pour 4 personnes
- 250 g de Crozets blancs Croix de Savoie
- 200 g de Beaufort râpé
- 1 bol de bouillon dégraissé
- 100 g de beurre

- *Dans une grande casserole, porter à ébullition 3 litres d'eau salée. Y plonger les Crozets Croix de Savoie et laisser cuire pendant 20 minutes.*
- *Préchauffer le four th. 7 (210°).*
- *Beurrer un plat à gratin, y déposer en couches alternées les Crozets égouttés et le fromage râpé. Terminer par le fromage.*
- *Mouiller avec le bouillon.*
- *Faire fondre le beurre jusqu'à lui donner une couleur noisette, le verser sur la préparation.*
- *Glisser au four pour 20 minutes.*
- *Servir bien chaud.*

Gamay de Savoie rouge ou rosé.
Servir à 14-15°

138

CROZETS DE SARRASIN AU BEURRE NOIR

Préparation 10 mn
Cuisson 30 mn

Pour 4 personnes
- 250 g de Crozets de Sarrasin
Croix de Savoie
- 200 g de Beaufort
- 100 g de beurre
- sel, poivre

- *Faire chauffer 3 litres d'eau salée dans une grande casserole, y plonger les Crozets et les faire cuire pendant 30 minutes sur feu moyen.*
- *Les égoutter.*
- *Couper le fromage en lamelles.*
- *Faire fondre le beurre, jusqu'à lui donner une coloration noisette.*
- *Ajouter les lamelles de fromage et le beurre sur les Crozets. Bien mélanger et servir aussitôt avec du gibier, des diots ou un rôti de veau et son jus de cuisson par exemple.*

Mondeuse avec du gibier.
Servir à 16-17°

Abymes, Apremont avec des diots.
Servir à 10°

140

GRATIN DE GALLINES AUX DIOTS

Préparation 20 mn
Cuisson 45 mn

Pour 4 personnes
- 3 diots
- 125 g de pâtes : Gallines Croix de Savoie
- 150 g de champignons de Paris
- 1 oignon
- 1/2 poivron vert
- 100 g de Beaufort râpé
- 20 g de beurre
- 1 c. à soupe d'huile d'arachide
- sel, poivre

- *A l'aide d'une fourchette, piquer les diots pour éviter qu'ils éclatent à la cuisson.*
- *Dans une poêle, faire chauffer l'huile, y faire revenir les diots pendant 6 minutes. Les égoutter et les laisser refroidir.*
- *Nettoyer, laver et égoutter les champignons de Paris. Les hacher très fin. Réserver.*
- *Eplucher et hacher l'oignon.*
- *Retirer le pédoncule du poivron et les parties blanches de l'intérieur. Couper la chair en fines lamelles.*
- *Dans un plat à gratin, faire fondre le beurre sur feu très doux. Dès qu'il grésille, y faire revenir l'oignon et le poivron. Mélanger et laisser cuire doucement jusqu'à ce que l'oignon soit transparent.*
- *Ajouter les champignons, monter le feu et laisser cuire 4 minutes en remuant.*
- *Préchauffer le four th. 7 (210°).*
- *Couper les diots en tranches de 2 centimètres d'épaisseur.*
- *Déposer les Gallines crues dans le plat à gratin. Mouiller avec 4 dl d'eau chaude. Saler et poivrer. Bien mélanger et porter à ébullition. Ajouter 70 g de Beaufort et à intervalles réguliers les tranches de diots.*
- *Poudrer avec le reste de Beaufort et glisser au four pour 25 minutes.*
- *Servir bien chaud dans le plat de cuisson.*

Mondeuse.
Choisir un bon vin jeune très fringant, vif.
Servir à 16°

Gratin de Macaroni Courts

Préparation 5 mn
Cuisson 20 mn

Pour 6 personnes
• 500 g de macaroni courts
Croix de Savoie
• 150 g de Beaufort râpé
• 1 gousse d'ail
• 50 g de beurre
• sel, poivre

• *Faire légèrement cuire les macaroni dans une grande quantité de bouillon ou d'eau bouillante salée, poivrée avec une gousse d'ail écrasée.*
• *Egoutter rapidement les pâtes pour garder un peu de bouillon, les déposer dans un grand plat à gratin beurré. Les poudrer de fromage, ajouter le beurre coupé en morceaux.*
• *Glisser le plat sous le gril du four pour 10 minutes.*
• *Servir bien chaud et doré.*

🍇 Gamay de Savoie rouge.
Servir à 15°

TRUITE BRAISEE AUX TAILLERINS AUX NOIX

Préparation 20 mn
Cuisson 50 mn

Pour 4 personnes
- 4 belles truites
- 400 g de Taillerins aux noix Croix de Savoie
- 100 g de beurre
- 4 carottes
- 4 échalotes
- 4 bardes de lard
- 1 bouquet garni
- 2 dl de vin blanc sec d'Apremont
- sel, poivre

- *Saler et poivrer les truites, les barder de lard et les ficeler.*
- *Éplucher et hacher les échalotes.*
- *Peler et couper les carottes en rondelles.*
- *Dans une cocotte ovale, faire fondre 25 g de beurre, y faire revenir les échalotes et les carottes. Mouiller avec le vin blanc et ajouter le bouquet garni. Saler, poivrer. Laisser cuire pendant 5 minutes sur feu moyen.*
- *Déposer délicatement les truites. Couvrir et laisser cuire sur feu doux pendant 30 minutes en arrosant les truites de temps en temps.*
- *Faire cuire les Taillerins dans de l'eau bouillante salée pendant 7 minutes. Les égoutter et les réserver au chaud.*
- *Retirer les truites de la cocotte. Filtrer le jus de cuisson. Le faire réduire 2 à 3 minutes sur feu vif. Monter la sauce au fouet en ajoutant le reste de beurre coupé en petits morceaux.*
- *Retirer les bardes et la peau des truites.*
- *Les déposer sur les assiettes de service préalablement chauffées. Ajouter les Taillerins et arroser le tout de sauce.*
- *Servir bien chaud.*

🍇 Chignin-Bergeron, Roussette.
Choisir des vins très très fruités, marqués par le terroir.
Servir à 10-11°

CAILLE SUR TAILLERINS AUX CHAMPIGNONS

Préparation 15 mn
Cuisson 30 mn

Pour 4 personnes
- 4 cailles
- 400 g de Taillerins aux champignons Croix de Savoie
- 200 g de champignons de Paris
- 1 tranche de jambon épaisse
- 1 bouquet garni
- 2 c. à soupe de farine
- 40 g de beurre
- 2 dl de vin blanc d'Apremont
- 3 c. à soupe de crème fraîche
- sel, poivre

- *Nettoyer les champignons, les couper en lamelles.*
- *Dans une cocotte, faire chauffer le beurre, y faire revenir les cailles de tous côtés. Saler et poivrer. Les retirer et réserver.*
- *Dans la même cocotte, mettre les champignons de Paris, laisser cuire 5 minutes sur feu doux. Saler et poivrer. Les retirer et réserver.*
- *Toujours dans la même cocotte, faire dorer le jambon coupé en dés. Poudrer de farine et mouiller avec le vin blanc. Bien remuer le tout.*
- *Ajouter le bouquet garni, les champignons, les cailles et la crème fraîche. Laisser cuire sur feu doux pendant 15 minutes.*
- *Faire cuire les Taillerins dans une grande quantité d'eau bouillante salée pendant 7 minutes. Les égoutter et ajouter une noisette de beurre. Bien mélanger.*
- *Servir les cailles bien chaudes avec la garniture et les Taillerins à part.*

Apremont, Abymes.
Servir à 10°

Gamay de Savoie pour les inconditionnels du rouge.
Servir à 15-16°

PINTADE AUX FIDES

Préparation 15 mn
Cuisson 50 mn

Pour 6 personnes
- 2 pintades
- 100 g de lard
- 100 g de beurre
- 5 tranches de Beaufort
- 1 dl de vin blanc d'Apremont
- 2,5 dl de bouillon
- sel, poivre

Pour 100 g de Fidés* :
- 100 g de gros vermicelles
Croix de Savoie
- 1 oignon
- 1 gousse d'ail

- *Préchauffer le four th. 6 (180°).*
- *Dans une cocotte allant au four, faire chauffer 50 g de beurre, y faire revenir les pintades de tous côtés avec le lard. Dès qu'elles sont bien dorées, mouiller avec le vin blanc. Couvrir et glisser la cocotte au four pour 30 minutes.*
- *Retirer les pintades, les couper en deux. Trancher le lard en lamelles. Réserver le tout avec le jus de cuisson. Préparer les Fidés :*
- *Peler l'ail. Peler et émincer l'oignon.*
- *Dans une seconde cocotte, faire chauffer le reste de beurre, y faire revenir les gros vermicelles crus avec l'ail. Dès que les pâtes sont bien dorées, retirer l'ail, le remplacer par l'oignon. Saler et poivrer.*
- *Monter le thermostat du four à 7 (210°).*
- *Beurrer un plat à gratin assez haut, y déposer les demies pintades, les lamelles de lard, les tranches de Beaufort et les Fidés. Mouiller avec le bouillon et le jus de cuisson des pintades. Glisser au four 10 minutes.*
- *Servir très chaud dans le plat de cuisson.*

🍇 Pinot de Savoie ou une Mondeuse de belle facture, des vins puissants mais souples, élégants et fruités.
Servir à 16°

* C'est le nom donné en Haute-Savoie à ces gros vermicelles que l'on fait revenir dans un peu de beurre à la poêle, on les appelle aussi le vermicelle rouillé.

GRATIN DE POLENTA

Préparation 5 mn
Cuisson 50 mn

Pour 4 personnes
- 200 g de polenta
Croix de Savoie "express"
- 1 l de bouillon de pot au feu dégraissé
- 1 dl de lait ou de crème fraîche
- 150 g de Beaufort râpé
- 50 g de beurre

- *Dans une grande cocotte, faire fondre le beurre, y faire dorer la polenta en remuant à l'aide d'une cuillère en bois. Mouiller avec le bouillon en remuant sans cesse jusqu'à ce qu'elle épaississe et fasse des bulles.*
- *Ajouter petit à petit le lait ou la crème fraîche jusqu'à consistance d'une purée fluide.*
- *Préchauffer le four th. 7 (210°).*
- *Beurrer un plat à gratin, y déposer en couches successives, la polenta et le Beaufort. Terminer par le fromage.*
- *Glisser au four pour 40 minutes.*
- *Servir bien chaud.*

Mondeuse.
Servir à 16-17°

PAIN DE POLENTA

Préparation 5 mn
Repos 40 mn
Cuisson 5 mn

Pour 4 personnes
• 250 g de polenta
Croix de Savoie "express"
• 100 g de Beaufort râpé
• 20 g de beurre
• 10 g de sel

• *Faire cuire pendant 3 minutes la polenta dans 3 fois 1/2 son volume d'eau bouillante salée avec le fromage râpé. Arrêter le feu. Couvrir et laisser gonfler quelques minutes.*
• *Beurrer un moule à cake, y déposer la polenta en tassant bien, laisser complètement refroidir.*
• *Démouler la polenta. Couper le pain en tranches épaisses.*
• *Dans une poêle anti-adhésive, faire chauffer le reste de beurre, y faire revenir les tranches de polenta. Servir bien chaud avec des diots ou un rôti de porc et une salade.*

🍇 Vin de Savoie rouge, Mondeuse.
Servir à 16-17°

POLENTA DES ALPAGES

Préparation 10 mn
Cuisson 5 mn

Pour 4 personnes
• 300 g de polenta
Croix de Savoie grosse
• 100 g de lard frais
• 150 g de Beaufort râpé
• 3 échalotes
• 50 g de beurre
• 5 dl de lait
• 1 l de bouillon
• sel, poivre

• *Peler et hacher les échalotes.*
• *Couper le lard en dés.*
• *Dans une grande cocotte, faire chauffer le beurre, y faire revenir la polenta grosse Croix de Savoie, les échalotes et le lard en remuant constamment à l'aide d'une spatule en bois.*
• *Dès que le tout est bien doré, mouiller avec le lait et le bouillon, ajouter le Beaufort. Laisser cuire sur feu doux en remuant pendant 5 minutes. Saler et poivrer.*
• *Laisser gonfler quelques minutes avant de servir bien chaud.*

🍇 Mondeuse sauf si la Polenta accompagne un mets qui exige un vin blanc.
Servir à 16°

La polenta a été et est encore la nourriture de base des bergers qui passent l'été dans les alpages.
Dans les fêtes rurales, c'est elle qui accompagne les diots au vin blanc.

CARDONS AU GRATIN

Préparation 20 mn
Cuisson 1 h

Pour 4 personnes
- 2 kg de cardons bien blancs
- 30 g de beurre
- 2 c. à soupe de farine
- 2 c. à soupe de vinaigre
- 2 c. à soupe de lait
- sel, poivre

Sauce blanche
- 50 g de beurre
- 40 g de gruyère râpé
- 2 c. à soupe de farine
- sel, poivre

- *Nettoyer les cardons, gratter le duvet, les effiler. Les couper en morceaux. Les mettre au fur et à mesure dans une jatte d'eau vinaigrée pour les empêcher de noircir.*
- *Dans une casserole de cuivre étamé (éviter de prendre une casserole dans un autre métal qui ferait noircir les légumes), mettre la farine, la délayer avec un peu d'eau, faire chauffer sur feu doux pendant 2 à 3 minutes.*
- *Mouiller avec 1 litre et demi d'eau chaude et le lait. Saler, poivrer. Ajouter les cardons, porter à ébullition. Baisser le feu et laisser cuire 20 minutes.*
- *Préchauffer le four th. 7 (210°).*
- *Préparer la sauce blanche : dans une casserole à fond épais, faire fondre le beurre, ajouter la farine, bien mélanger puis verser petit à petit 5 dl d'eau chaude sans cesser de remuer à l'aide d'une cuillère en bois. Laisser mijoter 15 minutes sur feu doux puis incorporer le fromage râpé. Retirer du feu. Saler et poivrer.*
- *Lorsque les cardons sont cuits, les égoutter et les déposer dans un plat à gratin beurré. Les napper de sauce blanche et poudrer de fromage râpé. Glisser au four pour 20 minutes.*
- *Servir bien chaud.*

Pinot de Savoie ou Mondeuse.
Servir ces vins rouges le plus chambré possible pour adoucir (ou absorber) l'amertume des cardons.
Servir à 16-17°

153

EPES A LA SAVOYARDE

Préparation 20 mn
Cuisson 30 mn

Pour 4 personnes
• 1 kg de cèpes frais
• 2 tranches de jambon cru
de montagne
• 2 c. à soupe d'huile de noix
• 2 oignons
• 2 gousses d'ail
• 5 brins de persil
• 80 g de beurre
• 2 c. à soupe de chapelure
• 2 c. à soupe de vinaigre
• sel, poivre

• *Nettoyer les cèpes, les laisser tremper quelques instants dans de l'eau vinaigrée. Les égoutter et les essuyer. Les couper en lamelles.*
• *Peler et hacher les oignons et l'ail.*
• *Couper le jambon en petits dés. Hacher le persil.*
• *Dans une grande poêle, faire chauffer l'huile de noix, y faire revenir les cèpes jusqu'à ce qu'ils aient rendu toute leur eau.*
• *Dans une autre poêle, faire fondre le beurre, y faire revenir l'ail, les oignons et les dés de jambon pendant 5 minutes.*
• *Les ajouter aux cèpes ainsi qu'une noix de beurre, saler et poivrer. Laisser cuire pendant 5 minutes en remuant bien le tout.*
• *A l'aide d'une écumoire, prélever les cèpes, les déposer dans un plat de service préalablement chauffé. Ajouter la chapelure dans la poêle sur le jus de cuisson, bien mélanger et verser le tout sur les cèpes. Servir aussitôt.*

🍇 Vin de Savoie très fruité, aromatique et plus ou moins tannique selon votre goût.
Servir à 16-17°

GRATIN DE COTES DE BETTES AUX CHATAIGNES

Préparation 40 mn
Cuisson 45 mn

Pour 4 personnes
• 1,500 kg de blancs de côtes de bettes
• 500 g de châtaignes
• 60 g de beurre
• 40 g de farine
• 2 oignons
• 150 g de lard maigre fumé
• 75 g de Beaufort râpé
• sel, poivre

• *Eplucher les blancs de bettes, les laver et les couper en morceaux. Les faire cuire 30 minutes dans de l'eau bouillante salée. Egoutter et réserver.*
• *Retirer la première peau des châtaignes, les plonger dans de l'eau bouillante pendant 5 minutes et retirer la seconde peau. Les faire cuire dans de l'eau bouillante salée pendant 30 minutes. Les égoutter.*
• *Pendant ce temps, faire fondre 40 g de beurre dans une casserole, ajouter la farine, bien mélanger puis ajouter petit à petit, sans cesser de tourner, 1/2 litre d'eau chaude. Laisser cuire 10 minutes sur feu moyen, saler et poivrer.*
• *Couper le lard en petits dés. Eplucher et hacher les oignons.*
• *Dans une poêle, faire fondre 10 g de beurre, y faire fondre le lard pendant 5 minutes puis ajouter les oignons. Laisser cuire 5 minutes.*
• *Les ajouter à la sauce dans la casserole ainsi que 60 g de fromage. Bien remuer le tout pour que le fromage fonde.*
• *Préchauffer le four th. 7 (210°).*
• *Beurrer un plat à gratin, y étaler une couche de côtes de bettes, une couche de châtaignes. Napper de sauce puis recommencer l'opération. Terminer par la sauce.*
• *Poudrer le tout de fromage râpé et glisser au four pour 15 minutes. Le plat doit être bien doré.*
• *Servir bien chaud.*

🍇 Vin de pays d'Allobrogie, cépage Chardonnay. Servir à 10°

157

GRATIN SAVOYARD AU JAMBON

Préparation 20 mn
Cuisson 1 h

Pour 4 personnes
- 1 kg de pommes de terre
- 25 cl de bouillon
- 150 g de Beaufort râpé
- 150 g de beurre
- 4 tranches de jambon cru
- 1 pincée de noix de muscade
- sel, poivre

- *Préchauffer le four th. 7 (210°).*
- *Eplucher, laver et essuyer les pommes de terre, les couper en rondelles de 3 millimètres d'épaisseur. Les poudrer de noix de muscade, de sel et de poivre. Bien mélanger.*
- *Couper le jambon en dés, les ajouter à la préparation.*
- *Beurrer un plat à gratin, y déposer les pommes de terre par couches en les intercalant de fromage râpé et de noisettes de beurre. Terminer par une couche de fromage.*
- *Recouvrir le tout de bouillon, parsemer de noisettes de beurre et glisser au four pour 10 minutes.*
- *Baisser le thermostat à 5 (150°) et laisser cuire encore 50 minutes. Le bouillon doit être totalement absorbé.*
- *Servir bien chaud avec une salade verte.*

Mondeuse ou Pinot de Chautagne.
Servir à 15-16°

158

Morilles a la creme

Préparation 20 mn
Cuisson 30 mn

Pour 4 personnes
- 600 g de morilles fraîches
- 2 échalotes
- 80 g de beurre
- 1 dl de bouillon de volaille ou de légumes
- 2 dl de crème fraîche
- 8 tranches de pain de mie
- sel, poivre

- *Nettoyer les morilles, les fendre en deux, les laver et les égoutter.*
- *Peler et hacher les échalotes.*
- *Dans une sauteuse, faire fondre 40 g de beurre, y faire revenir les échalotes et les morilles pendant 15 minutes sur feu doux (l'eau des champignons doit être évaporée).*
- *Ajouter le bouillon et la crème fraîche, saler et poivrer. Bien mélanger le tout et laisser cuire sur feu très doux pendant 15 minutes.*
- *Dans une poêle, faire chauffer le reste de beurre, y faire revenir les tranches de pain de mie 2 minutes de chaque côté.*
- *Déposer les morilles sur les croûtes de pain, servir bien chaud.*

Chignin-Bergeron de belle facture, vin gras, onctueux, très fruité, matière dense et très aromatique.
Servir à 9-10°

POIREAUX A LA SAVOYARDE

Préparation 20 mn
Cuisson 40 mn

Pour 4 personnes
• 1 kg de blancs de poireaux
• 100 g de Beaufort
• 100 g d'Emmental
• 50 g de beurre
• 1 gousse d'ail
• 2 c. à soupe de chapelure
• 1/2 c. à café de noix
de muscade en poudre
• sel, poivre

• *Nettoyer les blancs de poireaux, les couper en fines rondelles. Les laver et les égoutter légèrement.*
• *Dans une casserole à fond épais, faire fondre 40 g de beurre, ajouter les poireaux et les faire chauffer sur feu très doux pendant 20 minutes en remuant de temps en temps. Saler et poivrer. Ils doivent être cuits mais encore un peu fermes.*
• *Préchauffer le four th. 7 (210°).*
• *Peler l'ail, en frotter un plat à gratin puis le beurrer.*
• *Mélanger la muscade et la chapelure, en poudrer légèrement les parois du plat.*
• *Etaler une couche de poireaux, une couche de Beaufort ou d'Emmental et recommencer l'opération jusqu'à épuisement des ingrédients, terminer par une couche de fromage et de chapelure. Parsemer le tout de noisettes de beurre et glisser le plat au four pour 20 minutes.*
• *Servir bien chaud.*

🍇 Apremont.
Servir à 8-9°

160

BRIOCHE SAINT-GENIX

Préparation 30 mn
Repos 24 h
Cuisson 40 mn

Pour 4 personnes
- 500 g de farine
- 420 g de beurre
- 6 œufs
- 200 g de pralines
- 30 g de sucre
- 10 g de levure de boulanger
- 5 cl de lait
- 1 pincée de sel

- *Préparer la pâte : dans une jatte, mettre la farine, faire un puits et y déposer la levure délayée dans le lait tiède. Ajouter le sucre, le sel et les œufs. Bien travailler la pâte à l'aide d'un batteur. Dès qu'elle est bien lisse, incorporer 400 g de beurre coupé en petits morceaux. Bien mélanger et couvrir d'un torchon. Laisser reposer pendant 4 heures dans un endroit tiède.*
- *Dès que la pâte est levée, la battre avec le plat de la main pour qu'elle perde son volume. La mettre au frais jusqu'au lendemain.*
- *Incorporer à la pâte les trois quarts des pralines et la déposer dans un moule à brioche beurré. Disposer le reste de pralines sur le dessus de la brioche. Laisser reposer 30 minutes.*
- *Préchauffer le four th. 6 (180°).*
- *Glisser le moule au four pour 40 minutes.*
- *Servir tiède.*

Roussette ou Pétillant de Savoie.
Servir à 8°

161

BISCUIT DE SAVOIE

Préparation 20 mn
Cuisson 40 mn

Pour 4 personnes
- 150 g de sucre semoule
- 50 g de farine tamisée
- 50 g de fécule
de pomme de terre
- 4 œufs
- 1 sachet de sucre vanillé
ou 1 zeste de citron râpé
- 30 g de sucre cristallisé
- 1 noix de beurre

- *Préchauffer le four th. 6 (180°).*
- *Séparer les blancs des jaunes d'œufs.*
- *Battre les blancs en neige ferme.*
- *Dans une terrine, mettre les jaunes d'œufs, le sucre semoule, le sucre vanillé ou le zeste de citron. Bien mélanger pour obtenir une crème mousseuse et lisse. Ajouter la farine et la fécule tamisées. Fouetter énergiquement puis incorporer les blancs d'œufs en soulevant la masse.*
- *Beurrer largement un moule à gâteau de Savoie, le saupoudrer de sucre cristallisé. Verser la préparation, elle doit arriver aux deux tiers du moule. Glisser au four pour 40 minutes.*
- *Vérifier la cuisson du biscuit à l'aide de la lame d'un couteau, elle doit ressortir sèche.*

🍇 Roussette ou Pétillant de Savoie.
Servir à 8-9°

GATEAU DE SAVOIE

Préparation 20 mn
Cuisson 1 h

Pour 4 personnes
- 150 g de farine
- 200 g de sucre en poudre
- 3 œufs
- 10 g de levure alsacienne
- 1 zeste de citron
- 20 g de beurre

- *Préchauffer le four th. 5 (150°).*
- *Râper le zeste de citron.*
- *Dans une jatte, mettre les jaunes d'œufs, réserver les blancs. Ajouter le sucre en poudre, 100 g de farine tamisée, la levure et le zeste de citron. Bien battre le tout jusqu'à ce que le mélange devienne mousseux.*
- *Monter les blancs d'œufs en neige ferme, incorporer délicatement le reste de farine tamisée en soulevant la masse.*
- *Ajouter les blancs à la préparation.*
- *Beurrer largement un moule à manqué, verser la pâte et glisser au four pour 1 heure.*
- *Démouler le gâteau et laisser refroidir sur une grille à pâtisserie.*

Roussette, Pétillant de Savoie, Ayze.
Servir à 8°

MATAFAN AUX POMMES

Préparation 20 mn
Cuisson 45 mn

Pour 4 personnes
- 4 pommes
- 125 g de farine
- 2 œufs
- 2 c. à soupe d'huile
- 2 c. à soupe d'eau-de-vie de fruits
- 1 sachet de levure alsacienne
- 4 c. à soupe de sucre en poudre
- 1 pincée de sel

- *Peler les pommes, les couper en tranches fines.*
- *Dans une jatte, mettre la farine, le sel, les œufs battus en omelette, l'eau-de-vie, la levure et le sucre en poudre. Bien mélanger le tout. Ajouter 1 dl d'eau tiède pour obtenir une pâte bien lisse et pas trop épaisse. Ajouter les tranches de pomme.*
- *Dans une poêle anti-adhésive, faire chauffer l'huile, y verser la préparation et laisser cuire à couvert sur feu très doux pendant 30 minutes.*
- *Lorsque la pâte est prise, retourner le matafan sans un plat, le faire glisser dans la poêle pour cuire l'autre côté pendant 15 minutes.*
- *Servir chaud ou tiède.*

🍇 Pétillant de Savoie.
Servir à 8°

Le motMatafan vient de matefaim : "mate la faim".

PAIN DE MODANE

Préparation 4 h
Repos 10 h
Cuisson 50 mn

Pour 2 gros pains ou 12 petits
- 250 g de farine
- 150 de beurre ramolli
- 10 g de levure de boulanger
- 30 g de sucre en poudre
- 3 œufs + 1 jaune (dorure)
- 200 g de fruits confits coupés en petits dés
- 2 c. à soupe de sucre glace
- 2 c. à soupe d'amandes effilées
- 1/2 c. à café de sel

- *Délayer la levure dans 2 cuillères à soupe d'eau tiède pendant 20 minutes.*
- *Dans une terrine, mettre la farine, le sucre et le sel. Bien mélanger. Faire un puits, y verser la levure délayée et les œufs battus en omelette. Incorporer petit à petit la farine. Dès que le mélange est homogène, mettre la pâte sur un marbre et la pétrir vigoureusement à la main pendant 10 minutes. La pâte ne doit plus coller aux doigts et être élastique.*
- *Incorporer petit à petit le beurre à la pâte et les fruits confits. Pétrir à nouveau 10 minutes.*
- *Couvrir la pâte d'un torchon et laisser lever dans un endroit chaud, elle doit tripler de volume. Compter 3 à 4 heures, la casser plusieurs fois à la main pour en chasser l'air.*
- *Dès que la pâte est bien levée, la mettre sous film plastique au réfrigérateur pendant 8 heures.*
- *Partager la pâte en 2 ou en 12, rouler les parts pour les allonger ou les abaisser en carrés et les rouler. Les déposer sur la tôle du four bien beurrée en les espaçant. Les laisser encore lever sous un torchon pendant 2 heures. Leur volume doit doubler.*
- *Badigeonner la surface de jaune d'œuf délayé dans 3 cuillères à soupe d'eau.*
- *Préchauffer le four th. 7 (210°).*
- *Glisser la plaque au four pour 10 minutes. Baisser le thermostat à 6/7 (190°) et laisser cuire encore 40 minutes.*
- *5 minutes avant la fin de cuisson, éparpiller les amandes effilées sur le dessus des pains. Laisser refroidir puis saupoudrer de sucre glace.*

🍇 Pétillant de Savoie.
Servir à 8°

RISSOLES

Préparation 2 h
Cuisson 20 mn

Pour 4 personnes
- 500 g de poires à cuire
- 100 g de sucre
- 150 g de raisins secs
- 200 g de farine
- 100 g de beurre
- 2 jaunes d'œufs
- 1 c. à soupe de chocolat en poudre
- 1 zeste d'orange
- le jus d'1 citron
- 1 pincée de sel

- *Préparer la pâte : dans une jatte, mettre la farine et le sel. Ajouter le beurre coupé en petits morceaux, 1 jaune d'œuf. Bien mélanger le tout du bout des doigts puis ajouter 1/2 dl d'eau. Former une boule de pâte et laisser reposer 30 minutes au frais.*
- *Préchauffer le four th. 6 (180°).*
- *Peler les poires, les déposer au fur et à mesure dans une jatte d'eau citronnée pour éviter qu'elles noircissent.*
- *Les couper en quartiers et retirer le cœur.*
- *Dans une casserole, mettre 5 dl d'eau, ajouter les quartiers de poires, le sucre, les raisins, le chocolat et le zeste d'orange. Laisser cuire sur feu moyen pendant 20 minutes.*
- *Etaler la pâte. A l'aide d'un verre, découper des ronds de pâte.*
- *Déposer au centre un peu de compote et refermer les rissoles en soudant les bords du bout des doigts.*
- *Badigeonner les rissoles avec le second jaune d'œuf délayé dans un peu d'eau à l'aide d'un pinceau.*
- *Déposer les rissoles sur une plaque à pâtisserie et glisser au four pour 20 minutes.*
- *Servir tiède.*

Roussette de Seyssel.
Servir à 8°

TOURTE AUX FRUITS SAUVAGES

Préparation 40 mn
Cuisson 15 mn

Pour 4 personnes
- 325 g de farine
- 240 g de beurre
- 3 jaunes d'œufs
- 3 c. à soupe de sucre en poudre
- 100 g de crème liquide
- 1 pincée de sel

Garniture
- 600 g de myrtilles, de framboises, de fraises des bois, de groseilles ou de mûres ou encore un mélange du tout
- 5 c. à soupe de sucre en poudre
- 3 cl de lait sucré

- *Préparer la pâte : dans une jatte, mettre la farine, le sucre et le sel. Bien mélanger le tout. Déposer au centre le beurre amolli et les jaunes d'œufs. Incorporer le tout petit à petit à la farine du bout des doigts. Ajouter un peu d'eau (le moins possible) afin d'obtenir une pâte souple. Aplatir à la main deux fois sur une planche farinée.*
- *Rouler la pâte en boule et la laisser reposer recouverte d'un torchon pendant 2 heures.*
- *Au bout de ce temps, diviser la pâte en deux (1/3 - 2/3). Abaisser les 2/3 au rouleau, en garnir une tourtière en faisant déborder la pâte.*
- *Saupoudrer le fond de pâte de sucre en poudre, étaler les fruits en les sucrant par couches.*
- *Abaisser le second morceau de pâte, en recouvrir la tourtière. Souder les bords en pinçant la pâte du bout des doigts.*
- *Couper le trop de pâte à l'aide d'un petit couteau pour maintenir la soudure.*
- *Préchauffer le four th. 6 (180°).*
- *Faire un trou au milieu de la tourte, y glisser une cheminée de carton.*
- *Badigeonner la pâte de lait sucré à l'aide d'un pinceau pour qu'elle dore à la cuisson.*
- *Glisser la tourte au four pour 45 minutes.*
- *Au moment de servir, verser la crème liquide par la cheminée en répartissant bien la crème à l'intérieur.*
- *Servir très chaud pour que le contraste entre le gâteau brûlant et la crème froide soit apprécié.*

Pétillant de Savoie.
Servir à 8°

Mondeuse jeune.
Servir à 12°

TARTE AUX MYRTILLES

Préparation 20 mn
Cuisson 25 mn

Pour 4 personnes
- 400 g de myrtilles fraîches
- 150 g de sucre en poudre
- 3 c. à soupe de chapelure

Pâte
- 200 g de farine
- 100 g de beurre
- 1 jaune d'œuf
- 1 c. à soupe de sucre en poudre
- 1 pincée de sel

- *Préparer la pâte : dans une jatte, mettre la farine, le sel, le sucre et le jaune d'œuf. Pétrir le tout du bout des doigts en incorporant petit à petit le beurre coupé en morceaux.*
Puis ajouter 5 cl d'eau. Former une boule de pâte et laisser reposer au frais pendant 15 à 20 minutes.
- *Préchauffer le four th. 7 (210°).*
- *Abaisser la pâte, en garnir un moule à tarte, piquer la pâte à l'aide d'une fourchette et poudrer le fond de chapelure pour que le jus des myrtilles soit absorbé en partie pendant la cuisson.*
- *Garnir la tarte avec les fruits non lavés, saupoudrer de sucre en poudre et glisser au four pour 25 minutes.*
- *Servir tiède avec une jatte de crème fraîche.*

Pétillant de Savoie, Ayze.
Servir à 8°

PARIS - NEW YORK - LOS ANGELES - MILAN - LONDRES - BERLIN - TOKY

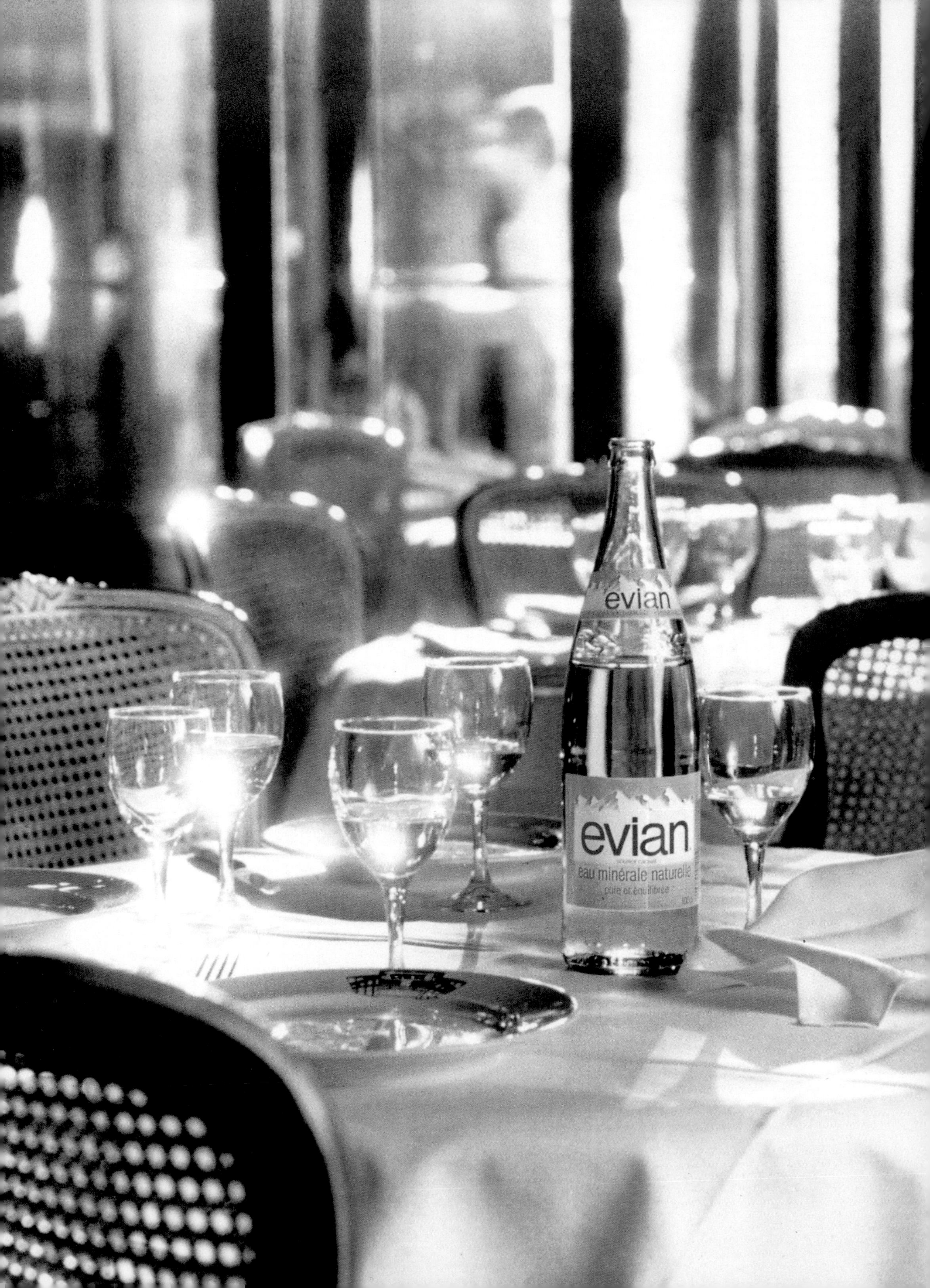

Les Restaurants

AU TEMPLE DE DIANE

11, avenue d'Annecy
73100 Aix-les-Bains
Tél. 79 88 16 61
Fax 79 88 38 45
Prop. : M. Mme Mattana
Chef : Lucien Mattana
F. : Dimanche soir et lundi
F. ann. : 3 sem. en août
Nbre de couverts : 60

Menus/prix : de 105 FF à 210 FF
Spécialités : poissons du lac
Vins : Bergeron, Mondeuse
CB - AE - animaux admis - fumeurs - non fumeurs

LE MANOIR

37, rue Georges 1er
73100 Aix-les-Bains
Tél. 79 61 44 00
Fax. 79 35 67 67
prop. : P. Pirat
Chef : G. Ruyet
F. ann.: du 20 déc. au 10 janvier
Nbre de couverts : 150

Menus/prix : de 135 FF à 245 FF, et à la carte
Spécialités : Lavaret Bourgetine, filets de perches à la Mondeuse
Vins : carte spéciale vins de Savoie (20 appellations)
Service : 12h15-13h45 / 19h15-21h30
CB - AE - DC - terrasse - animaux admis - fumeurs - salon non fumeurs

---

BEAULIEU

29, av. Charles de Gaulle
73100 Aix-les-Bains
Tél. 79 35 01 02
Fax 79 34 04 82
Prop. : M. Berthod
Chef : M. Berthod
F. ann. : du 20 déc. au 2 avril
Nbre de couverts : 50

Menus/prix : de 100 FF à 300 FF
Spécialités : filets de lavaret au vermouth de Chambéry, foie gras de canard maison
Vins : blanc : Chignin-Bergeron, rouge : Pinot Noir de Savoie
Service : 12h30-14h / 19h30-21h
CB - AE - terrasse - animaux admis - fumeurs

LE SALON D'ELVIRE

20, bd Berthollet
73100 Aix-les-Bains
Tél. 79 61 43 21
Fax 79 34 17 33
Prop. : C. Gailliard
Chef : C. Gailliard
F. : mercredi
F. ann. : du 1er au 15 mars
Nbre de couverts : 100

Menus/prix : 140 FF à 390 FF, et à la carte
Spécialités : poissons du lac, vivier de homards et langoustes ; en saison, gibier : filet de lièvre sur lie, civet de marcassin, escalope de chevreuil
Vins : Colombière, Apremont, Chignin-Bergeron, Roussette Anne de Chypre, Pinot de Chautagne, Mondeuse cru Arbin Grisard
Service : 12h-14h30 / 19h-21h30
CB - AE - DC - terrasse - animaux non admis - fumeurs - non fumeurs

---

DAVAT

21, ch. des Bateliers
Le Grand Port
73100 Aix-les-Bains
Tél. 79 63 40 40
Prop. : R. et M. Davat
Chef : R. Davat
F. : lundi soir et mardi
F. ann. : du 2 nov. au 25 mars
Nbre de couverts : 120

Menus/prix : 90 FF, 130 FF, 190FF, 250 FF
Spécialités : pâté en croûte de canard, palets Prinsky (spécialité au fromage de Savoie), petite friture, perche et lavaret du lac, grenouille, poularde sauce suprême, tournedos périgueux, tarte aux amandes
Vins : Apremont, Roussette Marestel, Chardonnay, Bergeron, Mondeuse, Pinot
Service : 12h-13h30 / 19h15-21h15
CB - terrasse - animaux admis

LILLE

Le Grand Port
73100 Aix-les-Bains
Tél. 79 35 04 22
Fax 79 34 00 30
Prop. : Mme Lille
Chefs : M. Lille, M. Abry
F. : mercredi
F. ann. : janv
Nbre de couverts : 150

Menus/prix : 140 FF, 250 FF, 350 FF
Spécialités : foie gras maison, omble-chevalier du lac au Champagne, mousseline de brochet, sandre en papillote aux 5 poivres, volaille de Bresse rôtie à la broche, côte de bœuf aux morilles, tournedos poêlé "Roger Lille", soufflé aux framboises
Vins : Chignin-Bergeron, Gamay, Pinot Noir, Mondeuse, Roussette, Crépy, Apremont
Service : 12h15-13h30 / 19h45-21h30
CB - AE - DC - terrasse - animaux admis - fumeurs

Albertville	CHEZ UGINET

**Pont des Adoubes
73200 Albertville**
*Tél. 79 32 00 50
Fax 79 31 21 51
Prop. : E. Guillot
Chef : E. Guillot
F. : mardi
F. ann. : du 25 juin au
5 juil., 12 nov. au 5 déc.
Nbre de couverts : 40*

*Menus/prix : semaine, midi et soir : 110 FF, 150 FF, 195 FF,
265 FF, 315 FF ; week-end midi et soir : 150 FF, 195 FF, 265 FF,
315 FF
Spécialités : agnelots pochés au bouillon de poule arômatisé au foie
gras, filet de féra poêlé croustillant sauce savoisienne et radis
confits
Vins : Chignin-Bergeron André Quenard
Service : 12h-13h30 - 19h15-21h30
CB - AE - DC - terrasse - animaux admis - fumeurs - non fumeurs*

Albertville	"LE LIGISMOND"

**17, Grande Place de
Conflans
73200 Albertville**
*Tél. 79 37 71 29
Prop. : J. Perrière
Chef : J. Perrière
F. : dimanche soir et
lundi
Nbre de couverts : 40*

*Menus/prix : 65 FF à 200 FF
Spécialités : cuisses de grenouilles à l'Apremont, escalope de
saumon au vermouth, fondue du pape (fondue savoyarde aux
girolles et jambon cru)
Vins : blancs : Chignin-Bergeron, Chardonnay de Savoie ;
rouges : Pinot de Chautagne, Mondeuse de Savoie
Service : 11h45-14h / 19h-21h15
CB - terrasse - animaux admis - fumeurs - non fumeurs*

Albertville	HOTEL LE ROMA

**RN 90
73200 Albertville**
*Tél. 79 37 15 56
Fax 79 37 01 31
Prop. : Société Hôtelière
de Savoie
Nbre de couverts : 120*

*Menus/prix : 99 FF, 145 FF, 240 FF, et à la carte
Spécialités : escalope de foie gras au vinaigre de framboise, féra du
lac flambée, filet de perche aux fruits de mer et ses petits légumes
Vins : Apremont, Chignin, Gamay de Chautagne
Service : 12h-14h / 19h-22h30
CB - AE - DC - terrasse - animaux admis (en laisse) - fumeurs*

Aussois	LE MATAFAN

**Hôtel du Soleil
15, rue de l'Eglise
73500 Aussois**
*Tél. 79 20 32 42
Fax 79 20 37 78
Prop. : P. Montaz
Chef : P. Montaz
Nbre de couverts : 30
+ salle de l'hôtel : 55*

*Menus/prix : 90 FF à 245 FF
Spécialités : salade fermière aux crêtes de coq, timbale de truites au
génépy de haute-maurienne, flan au safran
Vins : Apremont, Roussette, Chignin-Bergeron, Château de
Ripaille, Gamay rosé, Gamay de Jongieux, Mondeuse d'Arbin
Service : 12h30-14h / 19h30-21h
CB - terrasse - fumeurs*

Albertville	MILLION

**8, place de la Liberté
73200 Albertville**
*Tél. 79 32 25 15
Fax 79 32 25 36
Prop. : P. Million
Chef : P. Million
F. : dim. soir, lundi
F. ann. : du 22 avril au
8 mai, 16 sept. au 1er oct.
Nbre de couverts : 80*

*Menus/prix : 170 FF, 270 FF, 500 FF
Spécialités : bouillon glacé d'écrevisses aux œufs mollets, fera rôtie,
crème de poireaux, la quenelle de grenouilles, atriau de faisan, la
salade d'automne, brezzoles de ris de veau grillotées
Vins : Chignin La Maréchale, Chignin-Bergeron, Roussette de
Seyssel "La Tacconière"
Service : 12h00-13h30 / 19h45-21h30
CB - AE - DC - terrasse - animaux admis - fumeurs - non fumeurs*

Le Bourget-du-Lac	LAMARTINE

**Rte du tunnel du Chat
Bourdeau
73370 Bourget-du-Lac**
*Tél. 79 25 01 03
Prop. : J.P. Marin
Chef : J.P. Marin
F. : dim. soir et lundi
(sauf férié)
F. ann. : 1er déc. 20 janv.
Nombre de couverts : 80*

*Menus/prix : de 210 FF à 360 FF
Spécialités : omble-chevalier, gibiers en saison, dessert Lamartine
Vins : Bergeron, Pinot
Service : 21h30
CB - terrasse - animaux admis - fumeurs*

Le Bourget-du-Lac — LA TERRASSE

Bourdeau
73370 Le Bourget-du-Lac
Tél. 79 25 01 01
Fax 79 25 09 97
Prop. : A. Novel
Chef : A. Novel
F. : lundi
*F. ann. : du 15 oct. au
1er mars*
Nbre de couverts : 120

Menus/prix : de 95 FF à 270 FF, à la carte
*Spécialités : terrine de brochet et saumon sauce basilic, truite
soufflée à l'oseille, omble-chevalier braisé au Chardonnay, flan
d'asperge à la crème de ciboulette, filet mignon de veau au foie gras
de canard, Saint-Marcellin chaud et sa salade aux noix*
*Vins : Chardonnay, Chignin-Bergeron, Pinot de Jongieux, Marestel,
Colombière, Gamay de Chautagne*
Service : 12h-13h30 / 19h-21h
CB - salle panoramique - animaux admis - fumeurs

Chambéry — AUX PERVENCHES

Les Charmettes
73000 Chambéry
Tél. 79 33 34 26
Fax 79 60 02 52
Prop. : M. Piquet
Chef : M. Piquet
F. : mer. et dim.soir
F. ann. : août
Nbre de couverts : 110

Menus/prix : de 110 FF à 220 FF
Spécialités : poissons du lac, gratin de cardons à la moelle
*Vins : Roussette Anne de Chypre, Bergeron, Mondeuse d'Arbin,
Pinot, Gamay*
Service : 12h-14h / 19h-21h
CB - AE - DC - terrasse - animaux admis - fumeurs - non fumeurs

Le Bourget-du-Lac — LE BATEAU IVRE

La Croix Verte
73370 Le Bourget du Lac
Tél. 79 25 02 66
Fax 79 25 25 03
Prop. : J. Jacob
Chef : J.P. Jacob
*F. ann. : du 1er nov. à
début mai*
Nbre de couverts : 70

Menus/prix : 195 FF, 350 FF, 490 FF
*Spécialités : poêlée de filets de perche en salade de pomme de terre,
tournedos de brochet à l'infusion d'écrevisse, filet de lavaret aux
noix et au sésame, rôti de rable de lapereau au thym et son jus
simple*
*Vins : Chignin-Bergeron André Quenard, Cuvée Anne de Chypre
Claude Marandon, Mondeuse de chez Grisard*
Service : 12h-14h / 19h-22h
CB - AE - DC - terrasse - animaux admis - fumeurs

Chambéry — LA CHAUMIÈRE

14/16, rue Denfert-Rochereau
73000 Chambéry
Tél. 79 33 16 26
Fax 79 85 86 11
Prop. : R. Affairoux
Chef : R. Affairoux
F. : mer. soir et dim.
Nbre de couverts : 80
(+ 30 en terrasse)

Menus/prix : 83 FF, 125 FF, 155 FF, à la carte
*Spécialités : foie gras au torchon, poissons du lac, pièce de bœuf à la
Mondeuse et à la moelle; œufs brouillés aux morilles, feuilleté de
Saint-Marcellin aux noix, piémontaise à la nougatine chaude,
poire pochée à la Mondeuse et aux épices*
*Vins : Roussette, Chignin-Bergeron, Apremont, Mondeuse d'Arbin,
Pinot et Gamay de Savoie*
Service : 12h-14h / 19h-22h
CB - terrasse - animaux admis - fumeurs - non fumeurs

Le Bourget-du-Lac — OMBREMONT

RN 504
73370 Le Bourget du Lac
Tél. 79 25 00 23
Fax 79 25 25 77
Prop. : P.Y. et M. Carlo
Chef : G. Vernisse
*F. : sam. midi hors
saison*
F. ann. : janv.
Nbre de couverts : 200

Menus/prix : de 195 FF à 420 FF
*Spécialités : filet de sandre au bouillon de pleurote, poitrine de
pigeonneau aux poireaux et ravioles de Royans, terrine de roquefort
sur un lit de salade à l'huile de noix, croquant glacé à la rhubarbe,
sorbet anis sauce amande*
*Vins : Roussette de Marestel, Chignin-Bergeron,
Pinot de Chautagne, Mondeuse d'Arbin*
Service : 12h15-14h / 19h15-22h
CB - AE - terrasse - animaux admis - fumeurs - non fumeurs

Chambéry — LA VANOISE

44, avenue Paul Lanfrey
73000 Chambéry
Tél. 79 69 02 78
Prop. : Philippe Lenain
Chef : Philippe Lenain
F. : dimanche sauf fête
Nbre de couverts : 30

Menus/prix : 80 FF, 130 FF, 150 FF, 240 FF, 320 FF
*Spécialités : menu savoyard, lavaret à l'oseille, lavaret au
vermouth de Chambéry, omble-chevalier, civet de porc, polenta,
salade d'agneau aux épices douces*
Vins : Chignin-Bergeron, Roussette, Mondeuse
Service : 12h00-14h30 / 19h00-22h30
CB - terrasse - animaux admis - fumeurs

Chambéry — LE MONT CARMEL

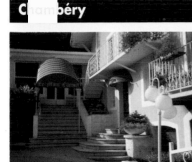

1, rue d'Eglise - Barberaz
73000 Chambéry
Tél. 79 85 77 17 / 79 70 06 63
Fax 79 85 16 65
Prop. : MM Tarouco, Vincent
Chef : Y. Vincent
F. : dim soir et lundi soir
F. ann. : 16 au 30 août
Nbre de couverts : 60

Menus/prix : 105 FF, 135 FF, 220 FF
Spécialités : gibier, foie gras maison, langouste, homard (vivarium)
Vins : Château Monterminod,
Service : 12h-15h / 19h30-23h
CB - AE - DC - terrasse - animaux admis - fumeurs

Chambéry — L'ESSENTIEL

183, place de la Gare
73000 Chambéry
Tél. 79 96 97 27
Fax 79 96 17 78
Prop. : J.M. Bouvier
Chef : J.M. Bouvier
Nbre de couverts : 60
+ 3 salons privés
(12 à 60)
+ terrasse (80)

Menus/prix : 130 FF à 200 FF
Spécialités : l'étouffée de cabillaud au jus de viande et ses matafans au persil plat, le filet de lavaret à l'émulsion de basilic et sa julienne de viande séchée de nos montagnes, la fricassée de caïon et pied de porc aux carottes caramélisées dans leur jus, faisan roti et son pithiviers de cuisse à la crème de génépi
Vins : très très belle carte de vins de Savoie
Service : 12h-14h 30 / 19h-22h 30
CB - AE - animaux admis - fumeurs - non fumeurs

Chambéry — LE SAINT-REAL

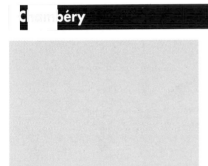

10, rue Saint-Real
73000 Chambéry
Tél. 79 70 09 33
Prop. : Mme Girod
Chef : M. Girod
F. : dimanche
Nbre de couverts : 40

Menus/prix : 170 FF, 260 FF, 380 FF
Spécialités : les ravioles frais au basilic et crème de tomate, la salade de coquilles Saint-Jacques au vinaigre de framboise, le foie gras frais de canard poêlé aux poires
Vins : tous les vins de Savoie blancs et rouges : Chignin-Bergeron, Roussette Monterminod, Mondeuse, Gamay
Service : 12h-14h / 19h-22h
CB - AE - DC - terrasse - animaux admis - fumeurs - non fumeurs

Chambéry — LE TONNEAU

4, rue de Boigne
73000 Chambéry
Tél. 79 33 45 36
Fax 79 70 31 47
Prop. : J.C. Zorelle
Chef : A. Zorelle
F. : dimanche soir
F. ann. : du 15 juil. au 1er août
Nbre de couverts : 50

Menus/prix : 85 FF à 150 FF midi, 100 FF à 150 FF soir
Spécialités : poisons du lac (perche, lavaret, omble-chevalier)
Vins : Bergeron, Mondeuse
Service : 12h00-14h15 / 19h30-22h15
CB - AE - DC - terrasse - animaux admis - fumeurs

Chambéry — LES PRINCES

2, rue St Antoine
73000 Chambéry
Tél. 79 33 78 26
Prop. : Robert Revillet
Chef : Robert Revillet
F. : Dimanche soir, lundi
F. ann. : 15 derniers jours d'août
Nbre de couverts : 45

Menus/prix : 160 FF, 260 FF, 320 FF
Spécialités : la petite nage de féra et omble-chevalier aux épices, le trio de foie gras de canard, le ris de veau à l'effeuillé d'artichaut et aux truffes, tous les poissons selon arrivages, les menus changent toutes les semaines, en saison de multiples plats à base de gibiers, champignons de nos montagnes
Vins : très belle cave de 260 références
Service : 12h-14h / 19h-22h
CB - AE - DC - animaux admis - fumeurs - non fumeurs

Chambéry — ROUBATCHEFF

Esplanade Curial
73000 Chambéry
Tél. 79 33 24 91
Fax 79 85 02 09
Prop. : J.P. Roubatcheff
Chef : J.P. Roubatcheff
F. ann. : du 5 au 19 juil.
Nbre de couverts : 50
(+ salon pour groupe)

Menus/prix : de 150 FF à 480 FF
Spécialités : cristivomer doré, pot-au-feu de légumes, sauté de grenouilles au Bergeron, braisé de ris de veau beurre mousseux, terrine de foie gras et pigeon
Vins : Mondeuse d'Arbin, Bergeron, Chignin, Pinot de Savoie, Gamay, Apremont, Roussette de Monterminod
Service : 12h-13h30 / 19h15-22h
CB - AE - DC - terrasse - animaux admis - fumeurs - non fumeurs

Courchevel — LE BATEAU IVRE

Les Chenus
73120 Courchevel 1850
Tél. 79 08 36 88
Fax 79 08 38 72
Prop. : J. Jacob
Chef : J.P. Jacob
F. ann. : du 15 avril au
15 décembre
Nbre de couverts : 50

Menus/prix : 220 FF, 340 FF, 490 FF
Spécialités : noix de coquille Saint-Jacques aux ravioli de cèpe,
queues de langoustines dorées au jus d'épices, côtes de chevreuil
poêlées, mousseline de potiron, mousse soufflée chaude au chocolat
Vins : Anne de Chypre Claude Marandon, Chignin-Bergeron André
Quenard, Mondeuse de chez Grisard
Service : 12h-14h / 19h-22h
CB - AE - DC - terrasse - animaux admis - fumeurs

Méribel — CROIX JEAN-CLAUDE

Village des Allues
73550 Méribel
Tél. 79 08 61 05
Prop. : Melle Galcon
Chef : M. Berthet
F. ann. : octobre
Nbre de couverts : 60

Menus/prix : de 120 FF à 250 FF et à la carte
Spécialités : cuisine traditionnelle, civet de lapin, crozets, ris de
veau aux morilles, potée savoyarde
Vins : coopérative de Chautagne
Service : 12h-14h / 19h 30-21h
CB - terrasse - animaux admis - fumeurs

Courchevel — LE CHABICHOU

Quartier Les Chenus
73120 Courchevel 1850
Tél. 79 08 00 55
Fax 79 08 33 58
Prop. : Michel Rochedy
Chef : Michel Rochedy
F. ann. : du 15 mai au
10 décembre
Nbre de couverts : 150

Menus/prix : 200 FF à 600 FF
Spécialités : persillade de cèpes en salade pommes croquantes,
goujonnettes d'omble-chevalier en court-bouillon au vin de Chignin,
mitonnée de queue de boeuf "nouvelle mode", parfait glacé à la
réglisse, mousse au chocolat extra-bitter
Vins : Chignin-Bergeron, Mondeuse, Pinot
Service : 12h30-14h30 / 19h30-22h30
CB - AE - DC - terrasse au déjeuner - animaux admis - fumeurs -
non fumeurs

Méribel — LE GRAND CŒUR

73550 Méribel
Tél. 79 08 60 03
Fax 79 08 58 38
Prop. : Sogeco S.A.
Chef : Marc Dach
F. ann. : du 12 avril
au 19 déc.
Nbre de couverts : 120

Menus/prix : 190 FF midi, 300 FF soir
Spécialités : velouté d'oseille et cuisse de grenouilles, langoustines
sautées aux épices, chips de Granny Smith, noisettes de chevreuil au
pain d'épices, pomme au four, poire rôti dans son jus, sauce réglisse
Vins : Roussette de Savoie, Mondeuse d'Arbin
Service : 12h30-14h30 / 19h30-22h00
CB - AE - DC - terrasse - animaux non admis - fumeurs

Courchevel — LA CENDREE

Le Maroly
Porte de Courchevel
73120 Courchevel 1850
Tél. 79 08 29 38/34 36
Prop. : Ted Di Trapani
Chef : Andrea Fazio
F. ann. : 3 mai au 30
nov.
Nbre de couverts : 50

Menus/prix : 140 FF et 250 FF
Spécialités : Carpaccio, pizza à la raclette, pâtes aux
langoustines,tournedos Rossini, gratin de framboises
Vins : Abymes, Roussette, Gamay de Chautagne, Trophée 1990
Laurent Perrier et Cordier de la meilleure cave de Courchevel
Service : 12h-14h30 / 19h-23h
CB - AE - animaux admis - fumeurs

Montmélian — LES CINQ VOUTES

RN6 Montmélian
73800 Montmélian
Tél. 79 84 05 78
Prop. : F. Boget
Chef : F. Boget
F. : mercredi soir
F. ann. : nov.
Nbre de couverts : 200

Menus/prix : de 170 FF à 250 FF
Spécialités : omble-chevalier, féra du lac, gibier (en saison)
Vins : Chignin-Bergeron, Mondeuse d'Arbin, Apremont
Service : 12h-13h30 / 19h30-21h
CB - AE - DC - terrasse - animaux admis

La Rochette — LE CHATAIGNIER

rue Maurice Franck
73110 La Rochette
Tél 79 25 50 21
Fax 79 25 79 97
Chef : P. Roman
F. : hors saison le mer.
et dim. soir (sauf
réservation)
Nbre de couverts : 15/20

Menus/prix : menu à 98 FF le midi en semaine, 160 FF
Spécialités : suprême de truite farcie, gibiers au vin de Savoie,
fromages au marc de Savoie
Vins : blancs : de Savoie (Ch. de la Gentilhommière), Apremont,
Bergeron ; rouges : Cabernet-Sauvignon, Pinot (Ch. de la
Gentilhommière)
Service : 12h15-13h30 / 19h30-21h30
CB - AE - terrasse - animaux non admis - fumeurs
Réservez de préférence votre table

Trévignin — AUBERGE DES PUGEATS

Hameau les Pugeats
73100 Trévignin par
Aix-les-Bains
Tél. 79 61 58 80
Prop. : M. Burdin
Chef : G. Burdin
F. : lundi soir (du 30 oct.
au 30 mars)
F. ann. : 1ère sem. de nov.
Nbre de couverts : 30

Menus/prix : de 82 FF à 230 FF, à la carte (environ 180 FF)
Spécialités : savoyardes, paëlla, taillon, diots, tourte au reblochon
Vins : de Savoie
Service : 12h-17h / 19h30-23h
terrasse + parc - animaux admis - fumeurs - non fumeurs

Saint-Jeoire-Prieuré — AUBERGE FERME DE RAMEE

Challes les Eaux
73190 Saint-Jean-Prieuré
Tél. 79 28 03 05
Prop. : Léon Rolland
Chef : Madeleine Rolland
F. : dimanche soir
Nbre de couverts : 45

Menus/prix : 80 FF à 120 FF
Spécialités : Tartiflette ; repas estival (charcuterie, omelette,
fromage blanc, glace, tarte) ; lapin polente, salade de fromage,
dessert ; fricassée de porc ; boudin de pommes, ; diots polente ;
fondue
Vins : Gamay, Mondeuse en rouge, Bergeron ou Jacquère en blanc
Service : 12h00-19h
Terrasse - fumeurs - animaux admis

Valloire — LE GASTILLEUR

La Grande Avenue
73450 Valloire
Tél. 79 59 01 03
Fax 79 59 00 63
Prop. : J. Villard
Chef : J. Villard
F. ann. : du 25 sept.
au 18 déc., fin avril au
5 juin
Nbre de couverts : 80

Menus/prix : 98 FF, 165 FF
Spécialités : les suprêmes et cuisses de jeune pigeon à l'ail confit et
mêlée de légumes, la noisette d'agneau "Val Fleuri"
Vins : savoyards blancs, rouges, rosés, Carte composée d'environ 170
crus
Service : 12h15-13h15 / 19h30-21h30
CB - terrasse - animaus admis - fumeurs

Tignes — LE SKI D'OR

Val Claret
73320 Tignes
Tél. 79 06 51 60
Fax 79 06 45 49
Prop. : J. et J.C. Bréchu
Chef : B. Roussel
F. ann. : du 1er mai au
1er déc.
Nbre de couverts : 75

Menus/prix : pas de menu
Spécialités : poissons, crustacés et coquillages, grand buffet de la
mer tous les jeudis soir
Vins : Mondeuse, Roussette, vins de la Loire, Sancerre de Pascal
Jolivat, Jurançon sec Domaine de Cauhapé
Service : 12h-13h30 / 19h30-21h30
CB - animaux admis - fumeurs - non fumeurs

Voglans — LE CERF VOLANT

Route de l'Aéroport
Voglans
73420 Viviers-du-lac
Tél. 79 54 40 44
Fax 79 54 46 73
Prop. : Michel Cirelli
Chef : Antoine Iglesias
F. ann. : du 24 déc.
au 5 janv.
Nbre de couverts : 100

Menus/prix : de 120 FF à 250 FF et à la carte
Spécialités : poissons du lac
Vins : Colombière, Mondeuse, Gamay de Chautagne
Service : 12h-14h / 19h 30-22h
CB - AE - DC - JCB - terrasse - animaux non-admis - fumeurs

Voglans — LINDBERGH

Bar et Restaurant de l'Aéroport de Chambéry / Aix les Bains

Aéroport de Chambéry/
Aix-les-bains - Voglans
73420 Viviers- du-lac
Tél. 79 54 40 51
Prop. : Charles Martin
Chef : Charles Martin
Nbre de couverts :
brasserie : 90
restaurant : 30

Menus/prix : bras. de 35 FF à 85 FF - restau. de 135 FF à 250 FF
Spécialités : magret de canard au vermouth de Chambéry, salade de pied de mouton rémoulade, gratin de crozets aux morilles, lavaret au parfum d'estragon, omble-chevalier Lindbergh
Vins : Château la Gentilhommière, Blanc-rosé-rouge de Savoie, Roussette Château Monterminod, Cuvée gastronomique G. Perrier, Abymes, Apremont, Gamay, Mondeuse
Service : bras. 6h-23h / 12h-15h / 19h-23h
CB - AE - DC - JCB - terrasse - animaux admis - fumeurs - non fumeurs

BARS - DISCOTHEQUES - CASINOS

Aix-les-Bains
Casanova	79 61 03 08
Casino	79 35 16 16
Le Cercle	79 88 98 96
Joyce	79 35 27 13

Les Arcs
Bar du Golf	79 07 25 17

Brides-les-Bains
Casino	79 55 23 07

Challes-les-Eaux
Casino	79 72 86 14
Chambéry	
Cotton Club	79 75 10 15
Le Cassandra	79 85 27 34
Le Diplomate	79 69 65 55

Courchevel
La Bergerie	79 08 24 70
La Grange	79 08 37 99

Les Caves	79 08 12 74
Le St-Nicolas	79 08 21 67

Méribel
Les Sts-Pères	79 08 60 19

La Plagne
Le Jet 73	70 09 90 83
Le Piano-Bar	79 09 03 07

Pralognan
Les Marmottans	79 08 73 76

Tignes
Les Chandelles	79 06 35 21
L'Embuscade	79 06 59 51

Val d'Isère
L'Aventure	79 06 20 82
Club 21	79 06 04 93
Le Méphisto	79 06 03 23

Val Thorens
L'Agora	79 00 05 25

LES HOTELS

Aix-les-Bains
Ariana	79 88 08 00
Davat	79 35 09 63
Iles Britanniques	79 61 03 77
La Cloche	79 35 01 06
La Pastorale	79 35 25 36
Le Manoir	79 61 44 00
Lille	79 35 04 22

Albertville
Hôtel Restaurant Million	79 32 25 15
Le Riviera	79 37 00 33
Le Roma	79 37 15 56

Les Arcs
Hôtel du Golf	79 07 25 17
La Cachette	79 07 70 50
Les 3 Arcs	70 07 78 78

Brides-les-Bains
Altis Val Vert	79 55 22 62
Golf Hôtel	79 55 28 12
Grand Hôtel des Thermes	79 55 29 77
Hôtel des Bains	79 55 22 05
Hôtel Savoy	79 55 20 55
Hôtel des Sources	79 55 29 22
Hôtel Verseau	79 55 27 44

Chambéry
Art Hôtel	79 62 37 26
City	79 85 76 79
Hôtel du Château	79 72 86 71
Le Cerf Volant	79 54 40 44
Le Château de Trivier	79 72 82 87
Le France	79 33 51 18
Le Mercure	79 62 10 11
Les Princes	79 33 45 36
Novotel	79 69 21 27
Princes Eugène de Savoie	79 85 06 07

Courchevel
Annapurna	79 08 04 60
Belle Côte	79 08 10 19
Byblos des Neiges	79 08 12 12
Carlina	79 08 00 30
Chabichou	79 08 33 58
Des Neiges	79 08 03 77
Grandes Alpes	79 08 03 35
L'Adret d'Ariondaz	79 08 00 01
Lana	79 08 01 10
La Pomme de Pin	79 08 02 46
La Sinoline	79 08 08 33
Le Chamois	79 08 56 30
Les Airelles	70 08 02 11
Le Tournier	79 08 03 19
Lodge Nogentil	79 08 32 32
Pralong 2000	79 08 24 82
Trois Vallées	79 08 00 12

Les Ménuires
Latitudes	79 00 75 10
L'Oisans	79 00 62 96
L'Ours Blanc	79 00 61 66

Méribel
Adray-Télébar	79 08 60 26
Alba	79 08 55 55
Allodis	79 00 56 00
Altiport	79 00 52 32
Aspen Park	79 00 51 77
Autarès	79 23 28 23
La Chaudanne	79 08 61 76
Lacroix Jean-Claude	79 00 50 54
La Tarentaise	79 00 42 43
Le Chalet	79 00 55 71
Le Grand Cœur	79 08 60 03
Le Ruitor	79 00 48 48
L'Orée du Bois	79 00 50 30
Mont-Vallon	79 00 44 00

Moûtiers
Hôtel du Commerce	79 24 21 63
Hôtel Moderne	79 24 01 15
Hôtel les Roches brunes	79 24 20 67
Hôtel de Savoie	79 24 20 15
Hôtel Terminus	79 22 92 94

La Plagne
Christina	79 09 28 20
Eldorador	79 09 12 09
Graciosa	79 09 00 18

Pralognan
Le Capricorne	79 08 71 63
Le Grand Bec	79 08 71 10
Les Airelles	79 08 70 32
Les Marmottes	79 08 72 40
Télémark	79 08 74 11

Les Saisies
Golf Hôtel du Mont-Blanc	79 38 96 38
Le Calgary	79 38 98 38

Tignes
Gentiana	79 06 52 46
Le Curling	79 06 34 34
Le Ski d'Or	79 06 51 60
Le Terril Blanc	79 06 32 87
Neige et Soleil	79 06 32 94
Paquis	79 06 37 33
Pramecou	79 06 34 83

Val d'Isère
Altitude	79 06 12 55
Bellier	79 06 03 77
Blizzard	79 06 02 07
Christiania	79 06 08 25
Grand Paradis	79 06 11 43
La Savoyarde	79 06 01 55
Latitudes	79 06 18 88
Le Kern	79 06 06 06
Mercure	79 06 12 93
Sofitel-le Val d'Isère	70 06 08 30
Tsanteleina	79 06 12 13

Val-Thorens
Fitz Roy	79 00 04 78
Les Trois Vallées	79 00 01 86
Novotel	79 00 04 04
Val Thorens	79 00 04 77

Alby sur Cheran — AUBERGE RIPAILLE

Les Chavonnets
74540 Alby sur Cheran
Tél. 50 68 22 98
Prop. : M. Mme Mangin
Chef : Mme Mangin
F. : lundi
F. ann. : 1ère sem. de sept.
Nbre de couverts : 35
+ terrasse l'été

Menus/prix : 120 FF, 160 FF, carte de 150 FF à 220 FF
Spécialités : filet de perche meunière, filet de féra à l'échalote,
gratin de queues d'écrevisses, poulet aux écrevisses
Vins : blancs : Château Ripaille, Chignin-Bergeron, Roussette
Tacconière, Jongieux, Apremont ; rouges : Mondeuse, Gamay de
Chautagne, Pinot de Chautagne
Service : 12h-13h30, soir à partir de 19h30
CB - AE - terrasse - animaux admis

Annecy-le-Vieux — LE CLOCHER

20, place Gabriel Fauré
74940 Annecy-le-Vieux
Tél. 50 23 09 90
Fax 50 27 90 14
Prop. : C. Collonb
Chef : P. Caillau
Nbre de couverts : 90

Menus/prix : 90 FF, 200 FF
Spécialités : petit pâté chaud de garenne (en saison), faisan nourri
au pied de porc et foie gras (en saison), filet de perche du lac,
rouelle de brochet fondant aux moules de bouchot, rognon de veau
farci à la graine de moutarde
Vins : Chignin Bergeron (A & M Quénard), Blanc Chardonnay,
Mondeuse Arbon (Ch. Trosset), Gamay Chautagne (F. Ducruet)
Service : 12h-14 h / 19h-22h
CB - AE - DC - terrasse - animaux admis - fumeurs

Annecy — LA RESERVE

21, avenue d'Albigny
74000 Annecy
Tél. 50 23 50 24
Fax 50 23 51 17
Prop. : R. Elgenmann
Chef : R. Pelletan
F. ann. : 20 déc. au 20
janv.
Nbre de couverts : 60

Menus/prix : 115 FF à 250 FF
Spécialités : rôti de lotte et fricassée de girolles sauce champagne,
côte de marcassin sauce poivrade et ses petits légumes, corne
d'abondance aux pommes caramélisées
Vins : Roussette de Seyssel "clos de la Peclette", Chignin-Bergeron,
Gamay de Chautagne, Mondeuse "Château de Monterminod",
Mondeuse Grisard
Service : 12h-14h15 / 19h15-21h30
CB - DC - terrasse - animaux admis - fumeurs

Bonneville — L'EAU SAUVAGE

Place de l'Hôtel de Ville
74130 Bonneville
Tél. 50 97 20 68
Fax 50 25 73 48
Prop. : J. Guenon
Chef : P. Guenon
F. : dim. soir, lundi
F. ann. : 2 sem. janv.
2 sem. sept.
Nbre de couverts : 60

Menus/prix : 200 FF à 260 FF, Vertige des sens 300 FF
Spécialités : mufafan de saumon, chèvre et homard aux échalotes
roses, atriaux de filet de perche au coulis du pêcheur, choucroute de
poissons de lac au vin d'Ayze, potée savoyarde aux composés de
porc
Vins : Roussette Péclette
Service : 12h-14 h / 19h30-21h30
CB - AE - DC- animaux admis - fumeurs - non fumeurs séparés

Annecy-le-Vieux — DIDIER ROQUE

13, rue Jean Mermoz
79940 Annecy-le-Vieux
Tél. 50 23 07 90
Prop. : D. Roque
Chef : D. Roque
F. : dim. soir et mercredi
(sauf juillet-août)
Nbre de couverts : 45
(+ terrasse 60)

Menus/prix : 175 FF à 335 FF, "205 FF vin, café compris"
Spécialités : poissons du lac d'Annecy ((féra sauce Mondeuse, filets
de perche, omble-chevalier), cuisine de saison
Vins : Seyssel clos de la Peclette, Roussette Altesse, Gamay de
Chautagne, Mondeuse, Arbin, Chignin-Bergeron
Service : 12h-13h 45 / 19h30-21h30
CB - terrasse - animaux non admis - fumeurs

Chamonix — ALBERT 1er

119, imp. du Montenvers
74402 Chamonix
Tél. 50 53 05 09
Fax 50 55 95 48
Prop. : P. Carrier
Chef : P. Carrier
F. : mercredi midi
Nbre de couverts : 80

Menus/prix : 180 FF, 290 FF, 420 FF
Spécialités : fondant de truite rose du Val d'Aoste mi-cuit mi-fumé,
suprême d'omble-chevalier du Léman au beurre fondu, pigeon rôti
en croûte de sel aux choux, crêpes parmentières et jus simple
Vins : Roussette de Seyssel, Chignin-Bergeron, Mondeuse
Dupasquier
Service : 12h30-13h30 / 19h30-21h30
CB - AE - DC - animaux admis

Chamonix — AUBERGE DU BOIS PRIN

69, ch. de l'Hermine
Moussoux - 74400 Chamonix
Tél. 50 53 33 51
Fax 50 53 48 75
Prop. : famille Carrier
Chef : D. Carrier
F. : merc. midi
F. ann. : 11 au 27 mai,
26 oct. au 3 décembre
Nbre de couverts : 30

Menus/prix : 160 FF, 230 FF, 380 FF
Spécialités : soupe de choux raves et poireaux au foie gras et truffes, filets de féra et lavaret à la crème de potiron, carré d'agneau rôti au serpolet et gratin savoyard, feuillantine pomme prune sauce caramel et glace à la vanille
Vins : Marin "clos de Pont", Marestel, Mondeuse
Service : 12h30-14h / 20h-21h30
CB - AE - DC - terrasse - animaux admis - fumeurs - non fumeurs

Combloux — IDEAL MONT-BLANC

Rte Feug
74920 Combloux
Tél. 50 58 60 54
Fax 50 58 64 50
Prop. : Mme Muffat
Chef : Jean-Luc Morant
F. ann. : 1er août 19 juin,
30 sept. au 20 déc.
Nbre de couverts : 70

Menus/prix : 150 FF, 175 FF, 192 FF, 225 FF, carte
Spécialités : magret de canard aux myrtilles, rognon de veau grand-mère au Madère, cuisses de grenouilles à la savoyarde, langue de bœuf fumé
Vins : de Savoie
Service : 12h15-13h30 / 19h15-20h30
CB - AE - DC - terrasse - animaux admis

Chamonix — LE MATAFAN

Allée du Majestic
74400 Chamonix
Tél. 50 53 05 64
Fax 50 53 41 39
Prop. : M. Morand
Chef : J.M. Morand
F. ann. : du 15 oct. au
15 déc.
Nbre de couverts : 100

Menus/prix : 150 FF à 350 FF
Spécialités : farcement de Passy, craquelin de pommes de terre au reblochon
Vins : de Savoie et du Bugey, également en carafe
Service : 12h30-14h / 19h30-21h30
CB - AE - DC - terrasse - animaux admis - fumeurs - non fumeurs.

Douvaine — AUBERGE GOURMANDE

Massongy
74140 Douvaine
Tél. 50 94 16 97
Prop. : G. Watrin
Chef : G. Watrin
F. : mercredi, jeudi midi
F. ann. : 10 jours fév.,
10 jours oct.
Nbre de couverts : 80

Menus/prix : 95 FF à 260 FF
Spécialités : ravioles de foie gras et morilles, consommé de queue de bœuf, féra du lac à l'oseille, omble-chevalier en meunière, ris de veau en nage graine de moutarde, panaché de la mer parfumé à la badiane
Vins : 650 crus vins de Savoie, et vins de France
Service : 12h-14 h / 19h-22h
CB - AE - DC - terrasse - animaux admis - fumeurs

La Chapelle d'Abondance — LES CORNETTES

74360 La Chapelle
d'Abondance
Tél. 50 73 50 24
Fax 50 73 54 16
Prop. : M. Trincaz et fils
F. ann. : du 20 oct. au
15 déc., de Pâques au
15 mai
Nbre de couverts : 260

Menus/prix : 90 FF à 300 FF
Spécialités : truite fario aux petits légumes et chanterelles, rognons de veau flambés, fondue savoyarde, raclette
Vins : Crépy, Marin, Mondeuse, Ripaille, Roussette, Gamay de Chautagne, Pinot de Savoie
Service : 12h30-14h / 19h30-21h
CB - terrasse - animaux admis - fumeurs non fumeurs

Duingt — LE CLOS MARCEL

74410 Duingt
Tél. 50 67 67 47
Prop. : M. Molveau
Chef : M. Molveau
F. ann. : du 30 sept.
à Pâques
Nbre de couverts : 50 à
80

Menus/prix : 130 FF à 185 FF
Spécialités : filets de perches frits, féra sauce oseille, quenelle de brochet sauce Nantua, poulet à la crème d'estragon, pintadeau au vinaigre de framboise, gratin savoyard
Vins : Gamay de Chautagne, Pinot de Savoie, Roussette, Crepy, Apremont, Chignin Bergeron, rosé de Savoie, vins de France.
Service : 12h-15 h / 19h30-21h
CB - terrasse - animaux admis en terrasse - fumeurs en terrasse

Evian — LA TOQUE ROYALE

Casino Royal
Château de Blonay
74500 Evian
Tél. 50 75 03 78
Fax 50 75 48 40
Royal Club Evian
Chef : P. Frenot
Nbre de couverts : 50

*Menus/prix : 170 FF à 320 FF (dim. et fêtes : brunch 170 FF,
enfants - 15 ans : 85 FF)*
*Spécialités : la raviole de homard breton au bouillon de langues
d'oursins, la poêlée de noix de Saint-Jacques aux cèpes de
montagne, l'agneau des Alpilles cuit au four en croûte de pommes
de terre, le nougat glacé aux pruneaux et caramel de coing*
Vins : belle carte, vins locaux : Cellier de Bel-Air, Chardonnay, Mondeuse
Service : 12h-14h / 19h30-22h30 / brunch 11h-15h
CB - AE - DC - animaux non admis - fumeurs

Megève — LA SAUVAGEONNE

Route du Very
Rochebrune - Le Leutaz
74120 Megève
Tél. 50 21 12 75
*Prop. : Y. Guilbert de
Sagnac, M. Aïn-Chapoulié*
Chef : L. Gianesini
F. ann. : mai-juin, nov.
*Nbre de couverts : 50
(+ 20 privé + 60 terrasse)*

Menus/prix : 98 FF
Spécialités : savoyardes, sud-ouest.
Vins : de Savoie, vins de France..
Service : 12h / 20h (thé goûter 16h, apéritif musical 19h)
CB - AE - terrasse - animaux admis - fumeurs - non fumeurs
Navette gratuite assurée du centre de Megève

Evian — LA VERNIAZ

Neuvecelle Eglise
74500 Evian
Tél. 50 75 04 90
Prop. : Verdier
Chef : C. Métreau
*F. ann. : fin nov., début
fév*
Nbre de couverts : 60

Menus/prix : 200 FF à 320 FF
*Spécialités : rôtisserie au feu de bois, poissons du lac Léman, soufflé
chaud aux griottes et au kirsch de Marin, tarte chaude aux pommes
et glace au miel de Savoie*
Vins : Marin "clos de Pont", Mondeuse
Service : 12h-14h / 19h30-21h30
CB - AE - DC - terrasse - animaux admis - fumeurs - non fumeurs

Sallanches — BERNARD VILLEMOT

57, rue du Dr Berthollet
74700 Sallanches
Tél. 50 93 74 82
Prop. : B. Villemot
Chef : B. Villemot
*F · dimanche soir
et lundi*
*F. ann. : du 5 au 19 nov.,
du 8 au 29 janv.*
Nbre de couverts : 35

Menus/prix : 140 FF, 180 FF, 250 FF, carte 380 FF
*Spécialités : poissons du lac Léman et mer, salade tiède de petite
pêche du Léman, filet de féra à la ciboulette, mousse et filets de
perche au vin de Marin, omble-chevalier au beurre tout simplement*
Vins : Chignin-Bergeron, Côtes du Léman : Marin
Service : 12h-13h30 / 19h15-21h30
CB - AE - DC - animaux admis - fumeurs - non fumeurs

Hery/alby — LES CARIGNAN

Chef-Lieu
74540 Hery/Alby
Tél. 50 68 11 50
Prop. : Mme Audebert
Chef : Mme Audebert
F. : dimanche soir
Nbre de couverts : 40

Menus/prix : 90 FF à 190 FF
Spécialités : gratin aux bolets, quiche savoyarde
*Vins : rouges : Gamay de Savoie, Mondeuse d'Arbin
blancs : Chignin Bergeron, Tacconière, Apremont*
Service : à partir 12h / 20h-23h
CB - terrasse - animaux non admis - fumeurs - non fumeurs

Seyssel — ROTISSERIE DU FIER

Route de Rumilly
74910 Seyssel
Tél. 50 59 21 64
Prop : P. Michaud
Chef : P. Michaud
*F. : mardi soir
et mercredi*
*F. ann. : va. scol. fév.
et du 1er au 10 sept.*
Nbre de couverts : 50

Menus/prix : 100 FF à 300 FF
*Spécialités : omble-chevalier du lac d'Annecy au beurre tout
simplement, la Bresse et les écrevisses aux bulles de Seyssel, la
cuisse de lapin "vallée des Thones"*
*Vins : Roussette de Seyssel "clos de la Peclette" Mollex, Mondeuse
d'Arbin, Royal Seyssel "Varichon et Clerc"*
CB - terrasse et parc - animaux non admis

Talloires — L'ABBAYE

Chemin des Moines
74290 Talloires
Tél. 50 60 77 33
Fax 50 60 78 81
Prop. : famille Tiffenat
Chef : Jean Ferriz
F. : lun. midi et dim. soir
hors saison
F. ann. : 15 déc. au 15 jan.
Nbre de couverts : 120

Spécialités : un menu typiqement savoyard, gâteau de champignons
sauvages aux bettes, terrine de poissons de lac aux épinards
sauvages, canette sauvageonne rotie au miel épicé, bavarois au
miel de sapin, granité de génépi
Vins : Mondeuse de Savoie, Roussette de Monterminod, Apremont,
Marin, Crépy, Bergeron
Service : 12h 30-14h / 19h 30-22h
CB - AE - DC - terrasse - animaux admis - fumeurs - non fumeurs

Veyrier-du-lac — AUBERGE DE L'ERIDAN

13, vieille rte des Pensières
74290 Veyrier-du-lac
Tél. 50 66 22 04
Fax 50 09 93 62
Prop. : M. Veyrat
Chef : M. Veyrat
F. : mercredi et
dimanche soir
F. ann.: nov.
Nbre de couverts : 60

Menus/prix : 300 FF, 480 FF, 850 FF
Spécialités : foie chaud aux baies d'aïOli, omble-chevalier du lac,
canette au carvi et à l'achillée
Vins : Roussette, Mondeuse
CB - AE - DC - terrasse - animaux admis - fumeurs

Thonon-les-Bains — AUBERGE D'ANTHY

Anthy sur Léman
74200 Thonon-les-Bains
Tél. 50 70 35 00
Fax 50 70 40 90
Prop.: C. Dubouloz
Chef : C. Dubouloz
F. : sept./juin : dim./mardi soir
F. ann. : 15 fév.au 10 mars,
1 sem. en oct.
Nbre de couverts : 70

Menus/prix : 68 FF à 185 FF
Spécialités :poissons frais du lac Léman, produits du terroir
Vins : vins de Savoie, vins de France
Service : 12h-13h30 / 19h30-21h30
CB - AE - DC - terrasse - animaux admis - fumeurs

Veyrier-du-lac — L'AMANDIER

91, rte d'Annecy - Chavoires
74290 Veyrier-du-lac
Tél. 50 60 01 22
Fax 50 60 03 25
Prop. : MM. Guillot Cortési
Chef : A. Cortési
F. : dimanche
F. ann. : 15 jours en été
Nbre de couverts : 40
(+ 40 en terrasse)

Menus/prix : 180 FF à 350 FF, carte
Spécialités : farçon au reblochon frais, farcement de pommes de
terre, poissons du lac meunière ou à l'oseille, rissoles aux poires et
fruits secs, sabayon au Bergeron et aux épices
Vins : Chignin-Bergeron, Gamay, Mondeuse d'ARbin, Chardonnay
de Savoie
Service : 12h-14h / 19h45-21h45
CB - AE - DC - terrasse - animaux admis - fumeurs - non fumeurs

Thonon-les-Bains — LE PRIEURE

68, Grande Rue
74200 Thonon-les-Bains
Tél. 50 71 31 89 /31 67
Fax 50 71 31 09
Prop. C. et F. Plumex
Chef : Charles Plumex
F. : dim. soir et lundi
Nbre de couverts : 70
Menus/prix : 200 FF à

280 FF, 350 FF menu dégustation
Spécialités : poissons du lac (perche, fera,omble-chevalier)
Vins : Château de Ripaille, Roussette de Seyssel, Clos de la Péclette
Service : 12h-14h30 / 19h30-22h30
CB - AE - DC - animaux admis - fumeurs - non fumeurs

Veyrier-du-lac — PAVILLON DE L'ERMITAGE

PAVILLON DE L'ERMITAGE ...

Chavoires
79, route d'Annecy
74290 Veyrier-du-lac
Tél. 50 60 11 09
Prop. : M. Tuccinardi
Chef : M. Tuccinardi
F. ann. : fin oct., début
mars

Menus/prix : 200 FF, 285 FF, 410 FF, également à la carte
Spécialités : omble-chevalier meunière, soufflé de brochet Ermitage,
poularde de bresse chavoisienne, nougat glacé aux noisettes
Vins : Crépy, Seyssel
Service : jusqu'à 20h30
CB - AE - DC - terrasse - animaux admis

BARS - DISCOTHEQUES - CASINOS

Annecy			Megève	
Casino Impérial	50 27 69 60		Casino	50 21 25 10
Le Garage	50 45 69 40		Les Cinq Rues	50 21 24 36
			L'Esquinade	50 21 27 06
Evian			Saint-Julien en Genevois	
Casino	50 75 03 78		Macumba	50 49 23 50

LES HOTELS

Annecy
Hôtel de Savoie	50 45 15 45
Ibis	50 45 43 21
L'Abbaye	50 23 61 08
La Réserve	50 23 50 24
L'Impérial Palace	50 09 30 00
Le Carlton	50 45 47 75
Le Flamboyant	50 23 61 69
Le Mercure	50 52 09 66
Le Palais de l'Isle	50 45 86 87
Le Splendid	50 45 20 00
Les Tresoms	50 51 43 84

Annemasse
Hôtel de Genève	50 38 70 66
Hôtel du Parc	50 38 44 60

Avoriaz
Les Dromonts	50 74 08 11
Les Hauts Forts	50 74 09 11

Chamonix
Albert 1er et Milan	50 53 05 09

Divonne
Le Château de Divonne	50 20 00 32
Le Marquis	50 20 02 16

Evian
La Verniaz	50 75 04 90
Les Prés Fleuris	50 75 89 14
Royal Hôtel	50 75 14 00

Flaine
Le Totem	50 90 80 64

Megève
Le fer à Cheval	50 21 30 39
Le Parc des Loges	50 93 05 03
Les Fermes de Marie	50 93 03 10
Les Loges du Mont-Blanc	50 21 20 02

Morzine
La Bergerie	50 79 13 69
La Combe Humbert	50 79 06 70
Le Carlina	50 79 01 03
Le Dahu	50 79 11 12
Le Samoyède	50 79 00 79
Le Tremplin	50 79 12 31
Les Airelles	50 79 15 24
Les Côtes	50 79 09 96
Neige Roc	50 79 12 31

Sevrier
Auberge de Létraz	50 52 40 36

Talloires
L'Abbaye de Talloires	50 60 77 33
Le Cottage	50 60 71 10
l'Hermitage	50 60 71 17
Le Lac	50 60 71 08
Le Père Bise	50 60 72 01
Les Prés du Lac	50 60 76 11

Thonon-les-Bains
Alpazur	50 71 37 25
Arc en Ciel	50 71 90 63
Carlina	50 73 94 94
Climat de France	50 70 36 70
Echo des Montagnes	50 73 94 55
Ibis	50 71 24 24
La Corniche	50 71 64 77
Les 5 Chemins	50 72 63 45
Savoie et Léman	50 71 13 80

Veyrier-du-Lac
La Demeure de Chavoire	50 60 04 38

Les adresses utiles

Conseil Général de la Savoie
Hôtel du Département - 73000 Chambéry
Tél. 79 62 93 00

Conseil Général de la Haute-Savoie
1, rue du Trentième Régiment d'Infanterie - 74000 Annecy
Tél. 50 33 50 00

Mairie de Chambéry
Place de l'Hôtel de Ville - 73000 Chambéry
Tél. 79 33 93 55

Mairie d'Annecy
Place de l'Hôtel de Ville - 74000 Annecy
Tél. 50 33 65 65

Préfecture de la Savoie
Hôtel du Département - 73000 Chambéry
Tél. 79 62 93 00

Préfecture de la Haute-Savoie
Rue Louis Revon - 74000 Annecy
Tél. 50 33 60 00

Maison de l'Agriculture
52, avenue des Iles - B.P. 327 - 74037 Annecy cedex
Tél. 50 57 82 40

Chambre d'Agriculture de Savoie
1, rue du Château - 73000 Chambéry
Tél. 79 33 43 36

Chambre d'Agriculture de la Haute-Savoie
52, avenue des Iles - 74037 Annecy cedex
Tél. 50 57 82 40

Chambre de Commerce et Industrie de la Savoie
5, rue Salteur - 73000 Chambéry
Tél. 79 75 76 77

Chambre de Commerce et Industrie de la Haute-Savoie
2, rue du Lac - 74000 Annecy
Tél. 50 33 72 00

Syndicat Régional des Vins de Savoie
3, rue du Château - 73000 Chambéry
Tél. 79 33 44 16

Syndicat des Vins de Savoie
3, rue du Château - 73000 Chambéry
Tél. 79 33 44 16

Comité Interprofessionnel des Vins de Savoie
3, rue du Château - 73000 Chambéry
Tél. 79 33 44 16

Syndicat des Vins du Bugey
01300 Belley
Tél. 79 81 30 17

Union des Producteurs des Vins de Seyssel
c/o Jacques Chameau - Brives - 01420 Seyssel
Tél. 50 56 16 62

Fédération Départementale Syndicat Exploitant Agricole FDSEA
1, rue du Château - 73000 Chambéry
Tél. 79 33 17 36

Fédération des Producteurs de Fruits et Légumes de Savoie
1, rue du Château - 73000 Chambéry
Tél. 79 33 17 36 - 79 33 43 36

Fédération des Artisans et Paysans de Savoie
5, rue du Château - 73000 Chambéry
Tél. 79 85 96 27

Fondation Brillat-Savarin
Hôtel Mercure - Lyon Nord - Porte de Lyon - 69 570 Dardilly
Tél. 78 35 44 76 - Fax 78 35 55 64

Fondation Ripaille
Domaine de Ripaille - 74200 Thonon-les-Bains
Tél. 50 26 64 44

Maison de Savoie
31, avenue de l'Opéra - 75001 Paris
Tél. 42 61 74 73

Maison de Savoie
11, rue Pargoud - B.P. 173 - 73204 Albertville cedex
Tél. 79 45 92 92

Office du Tourisme de Savoie
24, boulevard de la Colonne - 73000 Chambéry
Tél. 79 33 42 47

Office du Tourisme de Haute-Savoie
1, rue Jean Jaurès - 74000 Annecy
Tél. 50 45 00 33

FAGIHT
11 bis, avenue de Lyon - 73000 Chambéry
Tél. 79 69 26 18

F.N.I.H.
Le Samovar - 73150 Val d'Isère
Tél. 79 06 13 51

Amicale des Cuisiniers de Savoie
Aux Pervenches - Les Charmettes - 73000 Chambéry
Tél. 79 33 34 26

C.F.T.H.
110, rue Sainte-Rose - 73000 Chambéry
Tél. 79 33 46 22

Relais et Châteaux
Pralong 2000 - Route de l'Altiport - 73120 Courchevel 1850
Tél. 79 08 24 82

Relais du Silence
Le Manoir - 37, rue Georges 1cr 73100 Aix-les-Bains
Tél. 79 61 44 00

Logis de France (Savoie)
11 bis, avenue de Lyon - 73000 Chambéry
Tél. 79 69 26 18

Logis de France (Haute-Savoie)
2, rue du Lac - 74000 Annecy
Tél. 50 33 72 13

Relais des Gîtes Ruraux (Savoie)
24, boulevard de la Colonne - 73000 Chambéry
Tél. 79 85 01 09

Relais des Gîtes Ruraux (Haute-Savoie)
52, avenue des Iles - 74037 Annecy cedex
Tél. 50 57 82 40

Produits de Savoie

Boutique Aéroport
Chambéry / Aix-les-Bains
Tél. 79 54 46 05

RIOUTES

Boulangerie Roger Varcin
Chef Lieu - 73800 Myans
Tél. 79 28 12 84

BOULANGERIE ET DIOTS

Boulangerie Vincent
Villarcher - 73420 Voglans
Tél. 79 54 41 74

POISSONS
Audouard et Saurel
4, rue de Lans - 73000 Chambéry
Tél. 79 33 07 19

Parpillon
Chef-Lieu - Bourdeau - 73370 Le Bourget-du-Lac
Tél. 79 25 07 02

Perrier-Brancaze
5, rue du Sénat - 73000 Chambéry
Tél. 79 33 37 27

CROZETS-PATES

M. et Mme François Fraissard
48, faubourg de la Madeleine - 73600 Moutiers
Tél. 79 24 21 57

SALAISONS
saucissons, saucisses sèches, jambons, etc

Hominal Frères
53, rue Nationale - 74500 Saint-Gingolph
Tél. 50 76 72 09

FROMAGES

Les Délices Savoyards
39, rue de Genève - 73100 Aix-le-Bains
Tél. 79 88 28 78

Armand Perrière
26, rue de la République - 73200 Albertville
Tél. 79 32 22 55

Daniel Boujon
7, rue Saint-Sébastien - 74200 Thonon-les-Bains
Tél. 50 71 07 68

Vacherin des Bauges
François Ballaz - Le Cimeteret - 73340 Aillon-le-Vieux
Tél. 79 54 62 17

Denis Provent
Laiterie des Halles -2, place de Genève - 73000 Chambéry
Tél. 79 33 77 17

Chatelain
4, rue Sommelier - 73000 Chambéry
Tél. 79 33 68 13

FROMAGES DE SAVOIE A PARIS

Jacques Vernier
71, avenue du Général Leclerc - 75014 Paris
Tél. 43 27 93 30

PATISSERIES ET CONFISERIES

Chez Mazet
2, place Porte Reine - 73000 Chambéry
Tél. 79 33 07 35

Fidèle Berger
15, rue de Boigne - 73000 Chambéry
Tél. 79 33 06 37

Georges Michaud
Place des Eléphants - 73000 Chambéry
Tél 79 33 17 61

Martin-Colin
4, rue Saint-Antoine - 73001 Chambéry
Tél. 79 33 48 16

La Bully
Place de l'Eglise - 73240 Saint-Genix sur Guiers
Tél. 76 31 63 02

Lucien Debauge
rue des Prêtres - 73170 Yenne
Tél. 79 36 70 02

MIEL

L'Apiculteur Savoyard - Association Apicole de Savoie
Lycée Agricole - Domaine de Reinach - 73290 La Motte Servolex
Tél. 79 25 41 80 - Pour tous renseignements tél. 79 25 47 82

Le Rucher des Allobroges
12, rue Centrale - 73000 Barberaz
Tél. 79 85 68 90

COUTEAUX

Opinel
Route de Lyon - Cognin - 73160 Chambéry
Tél. 79 69 46 18

CAVES

Cave Maurice Jeandet
Place de l'Hôtel de Ville - 73000 Chambéry
Tél. 79 85 61 65

Hédiard
24, place du 8 mai 1945 - 73000 Chambéry
Tél. 79 33 45 62

Nicolas
4, rue Fabre - 73000 Chambéry
Tél. 79 70 31 33

La Bonne Cave
7, avenue Marlioz - 73100 Aix-les-Bains
Tél. 79 61 11 07

Halles aux Vins
3, rue de Savoie - 73100 Aix-les-Bains
Tél. 79 35 09 26

Association des Sommeliers de Savoie et de l'Ain

L'Association des Sommeliers de Savoie et de l'Ain contribue par son action,
au rayonnement de la Savoie.
Véritable trait d'union entre le vin et le consommateur
elle rassemble les restaurateurs, les passionnés de vins
et surtout les sommeliers,
amenés à posséder une connaissance parfaite de tous les vins de France
et plus particulièrement ceux de la région où ils exercent leur art.
Source d'informations inégalables et permanentes,
l'Association leur permet de répondre à l'attente de leur clientèle
désireuse d'être guidée, conseillée et prête à découvrir
et apprécier les produits locaux.

Pour tous renseignements :
Au Temple de Diane
11, avenue d'Annecy - 73100 Aix-les-Bains
Tél. 79 88 16 61 - Fax. 79 88 38 45

Nous remercions tout particulièrement

APERITIFS - LIQUEURS
Vermouth - Chambéryzette - Bonal - Génépy

Dolin
Avenue du Grand Arictaz - 73004 Chambéry
Tél. 79 69 59 09

EAU

Société des Eaux d'Evian
22, avenue des Sources - 74500 Evian-les-Bains
Tél. 50 26 80 80

FROMAGES

Syndicat de Défense du Fromage de Beaufort
1, rue du Château - 73000 Chambéry
Tél. 79 33 17 36
Tous les producteurs proposent des Beaufort à la coupe

Syndicat Interprofessionnel du Reblochon
12, rue de la Saulne - 74230 Thônes
Tél. 50 32 11 00

Fabricants :
Jean Bernaz - 74470 Vailly - Tél. 50 73 80 08
Raymond Bouchet - 7, avenue de Ternier - 74160 St-Julien - Tél. 50 49 27 86
Daniel Burtin - 74930 Reignier - Tél. 50 43 41 05
Philippe Cattaud - Feternes - 74500 Evian - Tél. 50 73 40 97
Gérard Chabert - Villaz - 74370 Pringy - Tél. 50 62 15 45
Coop. du Val d'Arly - 73590 Flumet - Tél. 79 31 70 90
Guy Desbiolles - Le Sappey - 74350 Cruseilles - Tél. 50 44 14 61
S.A.R.L. Edelmont - "Sur les Iles" - 74230 La Balme de Thuy - Tél. 50 02 88 33
Fromagerie Artisanale d'Arbusigny - 74 930 Reignier - Tél. 50 94 50 79
Fromagerie Duparc - 74890 Brenthonne - Tél. 50 36 10 61
Fromageries Girod - 2, Route de Lyon - 74160 St-Julien - Tél. 50 49 08 44
Fromagerie Masson - 20, rue de la Résistance - 74100 Annemasse - Tél. 50 37 51 76
Pierre Metral - 74250 Bogeve
Soc. Nlle Metral - Z.I. 1431 av. A. Lasquin - 74700 Sallanches - Tél 50 58 02 04
Jean-Eugène Meynet - le Lyaud - 74200 Thonon - Tél. 50 73 90 44
Joseph Meynet - 74550 Orcier - Tél. 50 73 91 84
S.A.R.L. Thierry Peguet - Messy - 74440 Mieussy - Tél. 50 43 00 68
Christian Peguet - Peillonnex - 74250 Viuz en Sallaz - Tél. 50 36 98 83
Louis Pellisson - Chef Lieu - 74440 Mieussy - Tél. 50 34 20 30
Soc. Laitière des Hauts de Savoie - Z.A. Les Bonnets - 74270 Frangy - Tél. 50 44 70 15
Bernard Terrier - 74800 Chapelle Rambaud
Ets Verdannet - 28, av. du Parmelan - 74000 Annecy - Tél. 50 51 41 13
Charles Vindret - Feternes - 74500 Evian - Tél. 50 73 41 09
Daniel Zortea - 74800 Eteaux

Affineurs :
Ets Bouvard - 24, av; de la Gare - 74100 Annemasse - Tél. 50 38 04 59
S.A. Burgniard - Z.I. des Afforêts - 74800 La Roche sur Foron - Tél 50 03 11 51
S.C.A. les Poducteurs de Reblochon - Rte d'Annecy - 74230 Thônes - Tél. 50 02 05 60

Fromagerie Conus - Rte de Bonneville - 74100 Annemasse - Tél. 50 37 23 47
Compagnie Centrale Fromagère - Rue Griellet - 74800 La Roche sur Foron
André Dufournet - place Avet - 74230 Thônes - Tél. 50 02 00 15
Raymond Dufournet - Giez - 74210 Faverges
Société Les Aravis - Les Perrasses - 74230 Thônes - Tél. 50 02 99 41
Gaston Masson - Charvonnex - 74370 Pringy - Tél. 50 60 31 30
Gérard Meynet - Les Locires - 74380 Bonne - Tél. 50 39 21 65
Jean-Pierre Missillier - place de l'Eglise - 74450 Grand Bornand
Joseph Paccard - Les Choseaux - 74230 Manigod - Tél. 50 44 90 63
Fromageries Paul Pochat & Fils - Les Glaisins - 74940 Annecy-le-Vieux
Henri Pochat - rue de la Saulne - 74230 Thônes
Pierre Pochat - 33, rue de la Saulne - 74230 Thônes
S.A. Léon Rey - place du Pré de Foire - 74700 Sallanches - Tél. 50 58 34 28
Albert Thabuis - 74130 Petit Bornand - Tél. 50 03 50 16
Fromagerie La Tournette - rue de la Tournette - 74230 Thônes - Tél. 50 02 00 03
Yvan Viollet - Z.A.E. de Findrol - 74250 Fillinges - Tél. 50 36 22 40

FRUITS

Fédération Départementale des Producteurs de Fruits et Légumes de la Savoie
1, rue du Château - 73000 Chambéry
Tél. 79 33 17 36 - 79 33 43 36

PATES

Croix de Savoie - S.A. Chiron
209, rue Aristide Berges - Z.I. Bissy - B.P. 317 - 73003 Chambéry cedex
Tél. 79 62 20 37

SALAISONS

Société Prévot
Pré Roux - B.P. 4 - 73210 Aime
Tél. 79 09 72 24

VINS BLANCS

Cépage Jacquère

Crus Apremont, Abymes
Jean Perrier
Saint-André-les-Marches - 73800 Montmélian
Tél. 79 28 11 45 - Fax 79 28 09 91

Cru Chignin
André et Michel Quenard
Torméry - 73800 Chignin
Tél. 79 28 12 75

Pascal Quenard
Le Villard - 73800 Chignin
Tél. 79 28 09 01

Raymond Quenard
Le Villard - 73800 Chignin
Tél. 79 28 01 46

Jean Perrier & Fils
Saint-André-les Marches - 73800 Montmélian
Tél. 79 28 11 45 - Fax 79 28 09 91

Cru Cruet
Cave des Vins fins de Cruet
Cruet - 73800 Montmélian
Tél. 79 84 28 52 - 79 84 23 45

Cépage Altesse

Roussette de Savoie - Cuvée Anne de Chypre
Claude Marandon
Saint-Alban Leysse - 73000 Chambéry
Tél. 79 33 13 65

Cru Marestel - Domaine Dupasquier
Noël Dupasquier
Aimavigne - 73170 Jongieux
Tél. 79 44 02 23

Roussette de Savoie
Jean Perrier
Saint-André-les-Marches - 73800 Montmélian
Tél. 79 28 11 45 - Fax 79 28 09 91

Cépage Roussanne

Cru Chignin-Bergeron
André et Michel Quenard
Torméry - 73800 Chignin
Tél. 79 28 12 75

Pascal Quenard
Le Villard - 73800 Chignin
Tél. 79 28 09 01

Raymond Quenard
Le Villard - 73800 Chignin
Tél. 79 28 01 46

Louis Magnin
Chemin des Buis - Arbin - 73800 Montmélian
Tél. 79 84 12 12

Cépage Chasselas

Cru Château de Ripaille
Claude Guillerez
Domaine de Ripaille - 74200 Thonon-les-Bains
Tél. 50 71 75 12

Cépage Gringet

Ayze
Jean et Eric Vallier
La Côte d'Hyot - Ayze - 74130 Bonneville
Tél. 50 97 10 12

Cépage Chardonnay

Vin du Bugey
Cellier du Bel Air
01350 Culoz
Tél. 79 87 04 20

VINS ROUGES

Cépage Mondeuse

Mondeuse Cru Arbin
Louis Magnin
Chemin des Buis - Arbin - 73800 Montmélian
Tél. 79 84 12 12

Jean Perrier & Fils
Saint-André-les-Marches - 73800 Montmélian
Tél. 79 28 11 45

Crus Arbin, Saint-Jean-de-la-Porte
Cave des Vins fins de Cruet
Cruet - 73800 Montmélian
Tél. 79 84 28 52 - 79 84 23 45

Cépage Pinot et Gamay

Jean Perrier & Fils
Saint-André-les-Marches - 73800 Montmélian
Tél 79 28 11 45

Tables des matières

Shopping

LA TUILE À LOUP - 35, RUE DAUBENTON - PARIS 5EME
Assiettes : pages 77, 79, 87, 89, 98, 107, 114, 117,
127, 136, 139, 145, 146, 149, 150, 156, 163
Couverts : page 114
Coupelle : page 171

LE PUCERON CHINEUR - 23, RUE ST PAUL - PARIS 4EME
Couverts : pages 77, 82, 155

GIEN-BACCARAT - 11, PLACE DE LA MADELEINE - PARIS 8EME
Assiettes: pages 82, 155.

Achevé d'imprimer : 1er trimestre 1992
Direction artistique : Martine Boutron
Photographies : Alain Lechat
Shopping : Bernadette Herbert
Maquette et conception : Studio Jean-Jacques de Galkowsky
Photogravure : B. Scann
Impression : Ouest Impressions Oberthur
Reliure : Diguet-Deny
ISBN : 2 87636 075 6

PUBLICATION JEAN-PIERRE TAILLANDIER
Direction Technique : Marie-Noël Lézé
Secrétariat d'édition : Macha Gorecki
Composition, mise en page : Clarisse Taupin

La Savoie

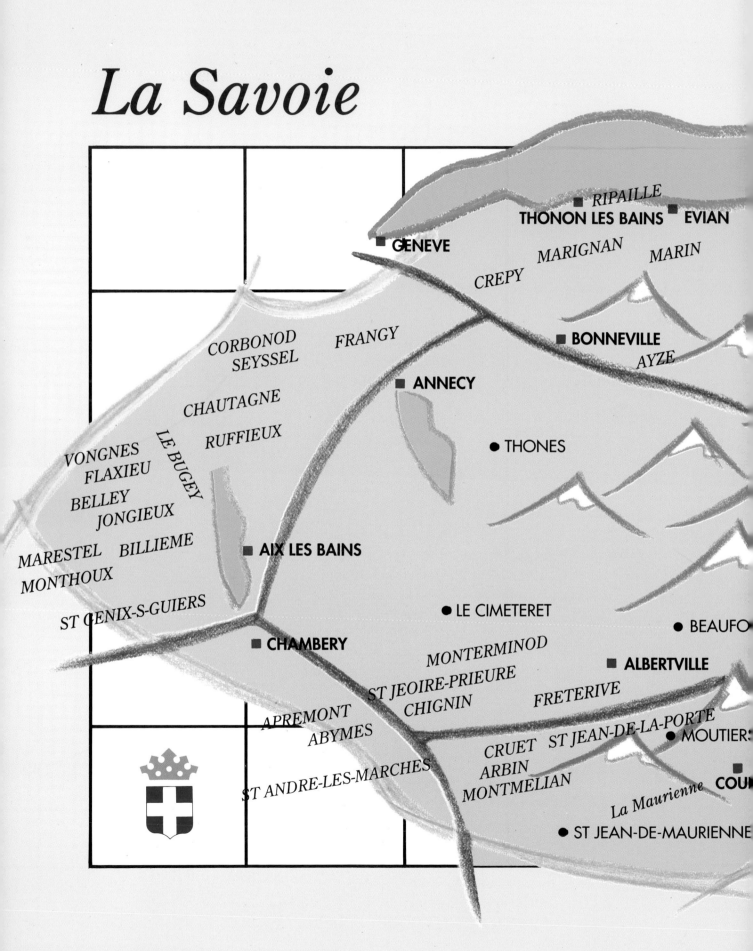

RIPAILLE

THONON LES BAINS   EVIAN

GENEVE

CREPY   MARIGNAN   MARIN

BONNEVILLE

AYZE

CORBONOD   FRANGY
SEYSSEL

ANNECY

CHAUTAGNE

THONES

RUFFIEUX

VONGNES
FLAXIEU

LE BUGEY

BELLEY
JONGIEUX

MARESTEL   BILLIEME

MONTHOUX

AIX LES BAINS

ST GENIX-S-GUIERS

LE CIMETERET

BEAUFO

CHAMBERY

MONTERMINOD

ALBERTVILLE

ST JEOIRE-PRIEURE

CHIGNIN   FRETERIVE

APREMONT

ABYMES

CRUET   ST JEAN-DE-LA-PORTE   MOUTIER:

ARBIN

MONTMELIAN

ST ANDRE-LES-MARCHES

La Maurienne   COU

ST JEAN-DE-MAURIENNE